Charlotte Grossetête

Die himmlischen Freunde
im Einsatz

5 4 3 2   23 22 21 20

978-3-649-63149-1

© 2019 für die deutschsprachige Ausgabe
Coppenrath Verlag GmbH & Co KG,
Hafenweg 30, 48155 Münster
Alle Rechte vorbehalten, auch auszugsweise
© First published in French by Mame,
Paris, France – 2016
Originaltitel: Trio en quête! Trois anges en cavale
ISBN 978-2-7289-2264-2
Text: Charlotte Grossetête
Illustrationen: Pauline Duhamel
Aus dem Französischen von Rosemarie Griebel-Kruip
Lektorat: Ursula Heeke
Satz: Helene Hillebrand

www.coppenrath.de

Charlotte Grossetête

Die *himmlischen* FREUNDE im Einsatz

Das gestohlene Engelgemälde

Ein Krimi zur Erstkommunion

Aus dem Französischen von
Rosemarie Griebel-Kruip

Illustrationen von
Pauline Duhamel

COPPENRATH

Inhalt

Kapitel 1
Begegnung in der Dämmerung

Gabriel schaute zu dem sinkenden roten Sonnenball. Er landete genau zwischen zwei Pappeln, als wäre einem Fußballer ein gezielter Pass ins Tor gelungen. Wie hätte Gabriel sich gefreut, wenn ein Torwart diesen Sonnenuntergang verhindert und die Sonne – Paff! – wieder von West nach Ost geschossen hätte. Dann hätte der heutige Samstag noch einmal von vorne angefangen ... Weniger als eine Woche vor Schulbeginn wurde jeder einzelne Ferientag total wichtig.

Aber es gab keinen Torwart zwischen den Pappeln und die Sonne glitt jede Sekunde tiefer. Eine Amsel pfiff das Ende des unausgeglichenen Spiels ab. Gabriel erhob sich von seiner Bank. Der Park würde wie jeden

Tag bei Einbruch der Dunkelheit schließen und er wollte nicht hinausgeworfen werden. Er war schon zu groß, um sich wie ein Erstklässler zum Tor begleiten zu lassen.

Als er zum Ausgang trottete, sah er ein Mädchen im Schneidersitz auf der Wiese sitzen. Es war wie er etwa zehn Jahre alt. Er hatte es noch nie gesehen. Das machte ihn neugierig, denn das Städtchen war nicht gerade groß und Gabriel war überzeugt, jeden zu kennen; zumindest die Kinder seines Alters. Dieses Mädchen wirkte wie eine Außerirdische nach einer Bruchlandung auf der Erde und deshalb blieb Gabriel stehen. Mit verlorenem Blick betrachtete sie die Wetterfahne auf dem Kirchturm. Gerade so, als fragte sie sich, ob der Pfeil auf der Fahne in Richtung ihres Planeten zeigte.

»Hallo«, sagte Gabriel und ging auf das Mädchen zu.

Es zuckte zusammen.

»Hallo«, antwortete es nur.

»Wie heißt du?«

»Raphaela.«

»Na so was! Dann müssen wir uns ja verstehen«, platzte es aus Gabriel heraus.

Gleich darauf nahmen seine Wangen die Farbe der untergehenden Sonne an. Wieder einmal hatte er ohne nachzudenken drauflos geplappert, noch dazu vor einer Fremden, die seine Bemerkung albern finden musste. Das war ja völlig daneben!

»Warum?«, fragte Raphaela überrascht.

Überrascht, aber nicht genervt. Sie lächelte sogar ein wenig, doch ihre Augen glänzten feucht. Gabriel konnte sich fast in ihnen spiegeln.

»Weil ...« Der schrille Ton einer Trillerpfeife zerriss die Stille.

»Oh nein! Der Park schließt. Übrigens heiße ich Gabriel. Komm, wir müssen los ...«

Raphaela stand auf und sie verließen den Park, ohne vom Wärter hinausgeleitet zu werden. Uff!

Uff auch, weil die Tränen inzwischen aus Raphaelas Augen verschwunden waren. Traurige Menschen waren nicht Gabriels Sache, selbst, wenn er sie gar nicht kannte.

»Bist du hier im Urlaub?«, fragte er schließlich, weil ihm wieder einfiel, dass er das herausfinden wollte.

»Nein«, sagte Raphaela bedrückt, »wir sind gerade hierher gezogen. Meine Eltern haben den *Goldenen Schlüssel* übernommen. Sagt dir das etwas?«

Gabriel nickte. Ja, das sagte ihm etwas. Das war das gute Restaurant in der Hauptstraße zwischen Bäcker und Friseur. Gabriel war schon öfter in der Gegend gewesen. Das Restaurant hatte er zwar nie betreten, aber er wusste, wo es lag.

»Dann kommst du nach den Ferien hier in die Schule?«

»Ja«, antwortete Raphaela und ihre Augen glichen einem randvollen Schwimmbad, das sie unbedingt am Überlaufen hindern wollte. Nun verstand Gabriel, warum. Auch wenn er nie umgezogen, nie *der Neue* gewesen war, konnte er sich sehr gut vorstellen, wie sich das anfühlte.

»Du wirst sehen, das ist eine super Schule. Es gibt viele nette Jungs!«

»Aha ... und Mädchen?«

»Auch ... obwohl ich nicht so viele kenne«, räumte Gabriel ein, als müsse er sich dafür entschuldigen, dass er darüber nicht so gut Bescheid wusste.

Jetzt fasste sich Raphaela ein Herz und fragte nach:

»Warum hast du gesagt, dass wir uns gut verstehen müssten?«

Gabriel schaute zur Kirche hinüber. Die Tür stand offen, obwohl es bereits dunkel wurde, obwohl der

Parkwärter mit seinen Schlüsseln klimperte und das Eingangstor zum Park verschloss. Die Kirche war nie abgeschlossen.

Der Pfarrer bestand darauf. »Jesus hätte niemals ein Vorhängeschloss an seiner Tür angebracht«, pflegte er zu sagen. »Dies ist sein Haus und darum muss es offen bleiben.«

»Ich zeige dir, warum«, bot Gabriel an. »Komm mit!«

Er schlüpfte durch die Kirchentür und stand plötzlich auf einem Teppich aus Konfetti und Rosenblüten.

»Es gab eine Hochzeit«, erklärte Gabriel.

»Ach ja«, bestätigte Raphaela, »ich habe heute Nachmittag die Kirchenglocken gehört.«

Sie betrat die Kirche hinter Gabriel, die Augen weit aufgerissen, weil sie sich noch nicht an das Halbdunkel gewöhnt hatten. Doch Gabriel wusste sehr genau, wohin er wollte. Ohne zu zögern wandte er sich nach links und ging in den Innenraum der Kirche. Seine Schritte hallten fröhlich durch die Stille.

»Sieh mal!«, sagte er und wies mit dem Zeigefinger auf ein Gemälde an der Wand.

»Ich sehe nichts!«, erwiderte Raphaela.

»Moment, ich hole ein Licht ...«

Gabriel lief zu einem Kerzenständer, auf dem viele kleine Flammen tanzten. Behutsam zog er eine Kerze heraus und hielt sie vor das Gemälde. Im hellen Schein konnte Raphaela nun drei wunderschöne Engel unter einem goldenen Himmel erkennen. Sie betrachtete ihre außergewöhnlichen Gesichter, die Stolz und Güte ausstrahlten. Dann bemerkte sie, dass der Engel auf der linken Seite ein Schwert in der Hand hielt, der mittlere einen Fisch und der letzte einen Lilie.

»Kannst du den Titel des Gemäldes lesen?« Gabriels Stimme schallte durch das Kirchengewölbe.

»Michael, Raphael und Gabriel, Erdengel«, entzifferte Raphaela wissbegierig.

»Es heißt Erzengel«, verbesserte Gabriel lächelnd.

»Das sind Engel?«

»Ja. Die mächtigsten Engel!«

Jetzt hatte Raphaela verstanden.

»Es sieht so aus, als würden sie gut miteinander klarkommen! Und ... gibt es auch einen Michael in der Schule?«

»Bislang nicht«, erwiderte Gabriel, »aber vielleicht kommt ja noch ein neuer Schüler.«

»Oder eine neue Schülerin«, murmelte Raphaela mit hoffnungsvollem Blick. »Eine Michelle oder Michaela ... ist ja eher selten, aber ... das wäre toll.« Raphaela seufzte und Gabriel war verstimmt. Wenn Jungs ihr nicht gut genug waren, dann sollte sie es doch gleich sagen. Er konnte auch gehen.

Aber Raphaela war weiterhin in die Betrachtung des Gemäldes versunken und so verzieh Gabriel ihr den Ausrutscher. Er fand ihre Sommersprossen sehr hübsch, auch ihre für das Ende eines Sommers etwas blassrosa Wangen und ihr blondes Haar, das im Schein der Kerze glänzte.

Plötzlich fing die Glocke hoch oben im Turm an zu schlagen: neun Mal.

»Ich muss nach Hause!«, rief Gabriel. »Meine Eltern erwarten mich um neun.«

»Ich gehe auch«, sagte Raphaela. »Meine Eltern arbeiten zwar im Restaurant, aber meine beiden Schwestern sind zu Hause.«

»Wie alt sind sie?«

»Dreizehn und fünf Jahre. Ich bin in der Mitte ... nicht immer einfach.« Raphaela kicherte, um Gabriel zu zeigen, dass sie das nicht ganz ernst meinte. Im Grunde liebte sie ihre große und ihre kleine Schwester sehr.

Gabriel war Einzelkind. Wie oft hatte er davon geträumt, einen Bruder zu haben, am liebsten einen Zwillingsbruder, zur Not sogar ein Baby.

Als er die Kerze wieder zum Ständer zurückbrachte, bemerkte er ein liegengebliebenes Buch in der ersten Stuhlreihe.

»Das hat wohl jemand vergessen«, überlegte er laut und nahm es in die Hand. »Vielleicht einer der Hochzeitsgäste.«

Es war ein sogenanntes Taschenbuch, genau genommen jedoch konnte es kaum in eine Tasche passen, denn es war so dick wie fünf aufeinandergestapelte Smartphones.

»*Erinnerungen von jenseits des Grabes, Band eins*«, las Gabriel vor.

»Huch! Das wurde wohl eher nach einer Beerdigung vergessen.« Raphaela lachte laut auf.

»Brrr ... da bekommt man ja eine Gänsehaut.«

»Oho! Hast du Angst vor Gräbern und Gespenstern?«

»Überhaupt nicht«, erwiderte Gabriel beleidigt. »Für wen hältst du mich? Ich meinte nicht den Titel, sondern den Umfang des Buches. Stell dir vor, dass manche Leute so dicke Bücher lesen. Und von diesem hier gibt es sogar mehrere Bände.«

»Vielleicht ist das eine dieser Geschichten, die man einfach nur verschlingt, weil sie so spannend sind. Bei dicken Büchern weiß man nie ... Zu meinem letzten Geburtstag habe ich zum Beispiel Harry Potter geschenkt bekommen, und als ich den siebten Band durchhatte, hoffte ich nur eines: dass es bald einen achten Band geben würde.«

»Stimmt, das kommt manchmal vor«, musste Gabriel zugeben. »Halte doch bitte kurz die Kerze, ich schaue mal rein ... Vielleicht ist es eine super Halloween-Geschichte!«

Er blätterte das Buch durch, aber seine Hoffnung erfüllte sich nicht. Sehr klein und eng bedruckt enthielten die Seiten endlos lange Sätze und Wörter, die sehr viel schwieriger waren als *Erzengel*.

»Ich wette, du bist Linkshänder!«, sagte Raphaela unvermittelt.

»Woran siehst du das?«

»Du blätterst mit dem linken Daumen verkehrt herum im Buch und fängst von hinten an ... Wir Rechtshänder verfahren logischer: Wir fangen von vorne an.«

»Darauf habe ich nie geachtet«, gestand Gabriel. »Zeig mal!« Er reichte ihr das Buch.

Nun blätterte sie durch den Band und plötzlich fiel Gabriel auf, dass manche Seiten kleine Eselsohren hatten. Er stoppte Raphaela, als sie bei einer solchen Seite landete, und zeigte auf eine mit Bleistift umkreiste Silbe: In dem Wort *Visconti* hatte jemand *con* umkringelt.

»Manche Leute beschäftigen sich mit merkwürdigen Dingen, wenn sie in die Kirche gehen«, sagte er schulterzuckend. Raphaela zog die Augenbrauen hoch, als sei ihr plötzlich eine Idee gekommen.

»Das könnte ein Geheimcode sein!«, rief sie aufgeregt und das Echo ihrer Stimme erfüllte die ganze Kirche. Verlegen flüsterte sie weiter: »Wir müssen alle eingeknickten Seiten anschauen. Möglicherweise bilden die Silben eine Folge von Wörtern, einen Satz?«

Gesagt, getan. Sie ging das Buch noch einmal von vorne durch. Und dieses Mal war auch Gabriel fasziniert von dem Wälzer, denn es gab tatsächlich noch weitere umkreiste Silben.

»*neau … car … con*«, buchstabierte er nach den ersten drei überprüften Buchseiten. Raphaela machte ein enttäuschtes Gesicht. Das ergab keinen Sinn. Gabriel hingegen lächelte verschmitzt, genau wie der eine Erzengel auf dem Gemälde, der mit siegreicher Geste sein Schwert schwang.

»Vielleicht hat ein Linkshänder die Silben umrandet? Lass mich das Buch noch mal auf meine Art durchblättern.«

Nachdem sie erneut Kerze und Buch getauscht hatten, ging Gabriel die Seiten von hinten durch, während Raphaela ihm leuchtete.

»*tref ... fen ... ein ... und ... dreis ... sig ... ster ... au ... gust ... zwei... uhr ...con ... car ... neau.* Siehst du! Was hab ich dir gesagt?«

»Oh, ein geheimes Rendezvous!«, murmelte Raphaela begeistert. »Genial!«

»Concarneau kenne ich, ein Fischerdorf in der Bretagne. Da war ich letztes Jahr mit meinen Eltern.«

Gedankenverloren hielt sich Raphaela das Buch an die Nase und begann, daran zu schnüffeln.

»Ich weiß nicht, ob es damit zusammenhängt, dass ich ans Meer denke, aber ich finde, es riecht leicht nach Fisch ...«

Gabriel machte eine skeptische Miene, aber dann steckte auch er seine Nase ins Buch.

»Du hast recht!«, war seine erstaunte Reaktion.

»Nicht gerade romantisch für eine Einladung zum Date«, lästerte Raphaela. »Wer mag wohl diese Botschaft geschrieben haben?«

Gabriel dachte nach.

»Ein Fischer vielleicht? Das ist die einzige Erklärung, die ich habe. Wenn man den ganzen Tag über mit Fisch hantiert, haftet der Geruch irgendwann an den Fingern ...«

»Und geht sogar auf das Buch über?«, fragte Raphaela wenig überzeugt.

»Ja, wenn der Fischer die Seiten oft angefasst hat, um seine geheime Botschaft zu verfassen ...«

Da erklang der kurze Viertelstundenschlag der Kirchenglocke, als wollte sie die beiden mahnen: Also, entschuldigt bitte, darf ich euch daran erinnern, dass es schon spät ist ...

»Auweia!«, rief Gabriel. »Jetzt muss ich aber wirklich los!«

»Was machen wir mit dem Buch? Willst du es als Bettlektüre mitnehmen?«, fragte Raphaela schelmisch.

»Danke, ich überlasse es gern dir«, erwiderte Gabriel. »Deine Bücher liegen sicher noch im Umzugskarton, oder? Ich habe all meine Comics zur Hand.«

»Spaß beiseite, man sollte es vielleicht dem Pfarrer geben?«

»Oh ... wir werden ihn um diese Uhrzeit nicht wegen eines dicken, auf einem Stuhl vergessenen Wälzers stören. Am besten, wir lassen das Buch da, wo wir es gefunden haben. Sein Besitzer wird es sich holen, wenn er wirklich daran hängt ... Die Kirche ist immer geöffnet.«

Gabriel ließ das Buch auf den Stuhl fallen. Dabei knallte es, als wäre eine Granate in den heiligen Hallen explodiert.

»So was nennt man ein Höllenspektakel von jenseits des Grabes«, sagte er lachend, während Raphaela die Kerze an ihren Platz zurückbrachte.

Sie verließen die Kirche. Im Unterschied zum dunklen Innenraum kam ihnen die Abenddämmerung draußen viel heller vor.

»Welchen Weg nimmst du?«, fragte Gabriel.

»Den da!« Raphaela zeigte auf die gegenüberliegende Straße auf der anderen Seite des Kirchplatzes.

»Das ist auch meine Richtung.«

Als die beiden Kinder den Platz überquerten, kam ihnen eine seltsame Gestalt entgegen. Sie sah aus, als sei sie geradewegs vom Nordpol hier gestrandet ...

Kapitel 2

Alarm in der Stadt

Der Mann trug einen petrolblauen Anorak, der dick genug war, dem Packeis zu trotzen. Seine Haare steckten unter einer weit über beide Ohren gezogenen Fleecemütze. Nach der Farbe seiner schlecht rasierten Wangen zu urteilen, waren sie braun. Er lief eilig auf die Kirche zu und schien die beiden Kinder, die sich nach ihm umdrehten, nicht zu bemerken.

Nachdem er unter dem Kirchenportal verschwunden war, wandte sich Gabriel an Raphaela, die mit offenem Mund zur Kirchentür starrte.

»Es gibt offensichtlich Leute, die Angst haben, sich bei diesen Temperaturen eine Erkältung zu holen! Der Typ hat sie wohl nicht alle!«

»In dem Ort, wo ich früher gewohnt habe, gab es eine alte Dame, die immer im Wintermantel zur Messe kam, selbst im Sommer.«

»Ja, aber der Mann ist doch nicht alt. Und außerdem, was hat er um diese Uhrzeit noch in der Kirche zu suchen?«

»Bis vor zwei Minuten waren wir auch drinnen«, gab Raphaela zu bedenken.

Ihr Gespräch wurde unterbrochen, da der seltsame Typ schon wieder aus der Kirche herausschoss, die *Erinnerungen von jenseits des Grabes* fest an sich gedrückt. Dieses Mal nahm sich der Mann die Zeit, den im Dunkeln liegenden Platz abzusuchen. Sein Blick blieb kurz an den zwei Kindern hängen, die ihn verblüfft musterten. Er warf ihnen im Vorbeigehen ein nervöses »Guten Abend« hin, während er zu der Straße lief, die auch auf ihrem Heimweg lag.

Raphaela wartete, bis er sich etwas entfernt hatte, dann flüsterte sie Gabriel zu: »Das ist doch verrückt. Wie erklärst du dir die Mütze und den Anorak in dieser Jahreszeit?«

Gabriel dachte nach und zuckte mit den Schultern.

»Ich fürchte, darauf weiß ich keine Antwort ... keine Ahnung.«

»Wir müssen ihm nur folgen, wenn wir das Rätsel lösen wollen«, schlug Raphaela unvermittelt vor. »Ich spiele gerne Detektiv. Und du?«

»Meine Eltern warten auf mich«, jammerte Gabriel. »Ich kann nicht ...«

Er verstummte. Ungefähr dreißig Meter vor ihnen blieb der Mann neben einem Lieferwagen stehen, der an der Ecke zu einer Nebenstraße geparkt war. Er öffnete die Autotür und stieg ein. Auf der weißen Karosserie stand mit großen blauen Buchstaben geschrieben: »Köstlichkeiten aus dem Meer – Catering – Partyservice«.

Jetzt wusste Raphaela Bescheid.

»Alles klar!«, rief sie, noch bevor das Auto losfuhr. »Ich glaube, in solchen Kühlwagen ist es eiskalt.«

»Es ist aber nicht alles klar. Ich hätte diesen Herrn gerne gefragt, mit wem er am 31. August ein Rendez-vous in Concarneau hat.«

»Du bist aber neugierig«, neckte ihn Raphaela. »Geht uns das etwas an?«

Auf jeden Fall war es zu spät, um Licht in die Sache zu bringen. Der Lieferwagen am Ende der Straße war längst verschwunden.

»Dahinten ist unser Haus«, sagte Raphaela an der nächsten Kreuzung.

»Und ich wohne dort«, erwiderte Gabriel und zeigte in die entgegengesetzte Richtung. »War schön, dich kennengelernt zu haben. Bis bald ... Wir treffen uns spätestens am ersten Schultag!«

»Ja. Hat mich auch gefreut. Tschüss!«

Wenige Minuten später kam Raphaela zu Hause an.

»Bist du das, Raf?«, frage ihre ältere Schwester, als sie die Eingangstüre hörte.

»Es ist nicht Raf, sondern Raphaela«, brummte die, als sie hereinkam.

Marie zuckte mit den Achseln, Raphaela zog eine Schnute. Sie hatte das Recht, auf ihren kompletten Vornamen zu bestehen.

»Sag mal, du siehst aus, als hättest du hinter deiner Grimasse gute Laune«, stellte Marie fest. »Warum? Als du losgegangen bist, warst du nicht gerade gut drauf ...«

»Ich habe einen Jungen getroffen, der vielleicht in meiner Klasse ist. Gabriel.«

»Wow! Sieht er gut aus?«

Raphaela lachte los. Sie hätte wetten können, dass Marie ihr als erstes diese Frage stellen würde. Seit sie dreizehn Jahre alt war, reagierte sie automatisch so. Eine Art Reflex. Ähnlich wie ihre Eltern, die sofort fragten: »Und ist es gut gelaufen?«, sobald man erzählte: »Ich hatte heute einen Test.«

»Schön wie ein Erzengel!«

Marie war ausgesprochen beeindruckt.

»Wo ist Louise?«, frage Raphaela und blickte sich suchend nach ihrer kleinen Schwester um.

»Sie schläft. Weißt du, wie spät es ist? Du musst auch ins Bett. Anweisung von Papa und Mama.«

»Und was ist mit dir, Chef?«

»Geht's noch? Ich bin dreizehn Jahre alt!«, sagte Marie und verzog empört den Mund.

Nun war es an Raphaela, mit den Achseln zu zucken. Im Spiel der genervten Gesichtsausdrücke tauschten die zwei Schwestern gerne mal die Rollen. Aber sie mochten sich trotzdem. Besonders in diesen Tagen vor dem gefürchteten Schulbeginn hielten sie eisern zusammen. Sie brauchten einander, vor allem am Abend, wenn ihre Eltern arbeiteten.

»Also, dann bis morgen«, sagte Raphaela und verschwand in ihr Zimmer.

»Bis morgen! Und ... ach ja, Raphaela ...«

Raphaela machte ihre Zimmertür wieder auf.

»Hat dieser Gabriel nicht zufällig einen großen Bruder? Oder wenigstens eine große Schwester?«

Auch Gabriel erzählte seinen Eltern von seiner Begegnung am Abend. Raphaela erwähnte er nur kurz, er beschrieb vor allem den Unbekannten, der gekleidet war, als wollte er an einer Polarexpedition teilnehmen.

»Und ratet mal, wo er dann eingestiegen ist«, beendete er seinen Bericht, in dem er versucht hatte, die Spannung immer weiter zu steigern.

»Sag schon!«

»In einen Kühlwagen!«, verkündete er, als wäre das die Antwort auf eine Scherzfrage. »Übrigens«, fiel ihm dann noch ein, »was ist eigentlich ein Catering?«

»Das ist ein Kochservice, der besondere Gerichte zum Beispiel für Hochzeiten und andere große Ereignisse zubereitet«, erwiderte seine Mutter.

»Aha.«

»Apropos große Ereignisse, Gabriel. Der Schulbeginn rückt näher. Lass uns mal an die guten alten Gewohnheiten anknüpfen: Also, ab ins Bett!«

Vor dem Einschlafen musste Gabriel an Raphaela denken. Er sah sie vor sich mit ihrer Miene der verirrten

Außerirdischen in einer neuen Welt, aber er sah auch ihre funkelnden Augen und ihre neckischen Grübchen, die sich zeigten, wenn sie lächelte. Am ersten Schultag würde er ihr auf dem Pausenhof die ganze Klasse vorstellen.

Dann hatte er plötzlich ein merkwürdiges Bild im Kopf: Er sah das Innere eines Lieferwagens, randvoll mit tiefgefrorenen Fischen, alle im Hochzeitsanzug mit Fliege, und der Mann im Anorak saß in diesem eisigen Iglu und war ganz vertieft in die *Erinnerungen von jenseits des Grabes* ... Das brachte Gabriel zum Lachen ... und schon war er eingeschlafen.

Am nächsten Morgen wurde er von einer Hand, die an seiner Schulter rüttelte, aus dem Schlaf gerissen. Er versuchte, ein Auge zu öffnen, und sah seinen Vater.

»Warum weckst du mich?«, brummelte Gabriel. »Ich habe doch noch Ferien, oder?«

»Es sind Polizisten unten«, erwiderte sein Vater leise. »Sie wollen dich sprechen.«

Ein wirksames Mittel, um einen zehnjährigen unausgeschlafenen Jungen aus dem Bett springen zu lassen. Gabriel war im Handumdrehen auf den Beinen.

»Was wollen die? Was habe ich gemacht?«

»Das weiß ich noch nicht«, antwortete sein Vater besorgt, »und es ist genau die Frage, die ich dir stellen möchte, bevor wir hinuntergehen.«

Gabriel riss sich seinen Schlafanzug über den Kopf.

»Ich habe nichts angestellt, gar nichts! Ehrlich, Papa!«

Er zog sein T-Shirt über, Etikett und Nähte nach außen gekehrt, schimpfte, nachdem er es bemerkte, wendete es, schaute etwas genauer hin, als er sich die restlichen Kleidungsstücke überzog, fuhr sich mit drei Fingern durch die Haare und polterte vor seinem Vater die Treppe hinunter. Die zwei Polizisten, die im Wohnzimmer warteten, schmunzelten, als sie den völlig verstrubbelten Jungen hereinkommen sahen, aber sie setzten schnell wieder ihre Amtsmiene auf.

»Guten Morgen, junger Mann«, begann der ältere von beiden. »Tut uns leid, dass wir dich aus dem Bett holen mussten, aber heute Nacht wurde in der Kirche ein Gemälde gestohlen. Und du scheinst der Letzte gewesen zu sein, der es gestern Abend gesehen hat.«

Gabriel war sprachlos.

»Folgendes ist passiert«, fuhr der zweite Polizist fort. »Heute morgen wollte das Mädchen, dem du gestern das Bild gezeigt hast, deine Freundin Raphaela, es noch einmal anschauen. Sie ist in die Kirche gegangen, aber das Gemälde hing nicht mehr an seinem üblichen Platz. Sie hat den Pfarrer gesucht und ihn gefragt, ob er es woanders hingebracht hätte ... Aber das war nicht der Fall. Also hat uns der Pfarrer angerufen, um eine Anzeige zu erstatten, weil das Gemälde verschwunden ist.«

»Ein Gemälde aus der italienischen Renaissance«, ergänzte der ältere Polizist und zog die Stirn in Falten. »Vierzehntes Jahrhundert! Allerdings muss man sagen, dass es in dieser immer offenen Kirche ein Leichtes war, die drei Engel zu rauben. Da hat man den Teufel in Versuchung geführt.«

Sein Kollege grinste über das Wortspiel, wurde aber schnell wieder ernst und wandte sich an Gabriels Vater.

»Haben Sie etwas dagegen, wenn Ihr Sohn uns kurz in die Kirche begleitet? Wir möchten gerne, dass er eine Aussage für die Beweisaufnahme macht. Das dauert nicht lange.«

Der Vater war einverstanden. Dann wandte sich der Polizist an Gabriel.

»Macht es dir etwas aus, sofort mitzukommen?«

Was Gabriel etwas ausmachte, war, dass er diesen beiden langsamen Polizisten folgen sollte, die zur Kirche schlenderten, als machten sie einen Spaziergang. Bedrückt wie er war, wäre Gabriel lieber gerannt, am liebsten wäre er geflogen.

Er mochte dieses Gemälde! Seit seiner frühesten Kindheit wachten die drei Engel in der Messe wie Freunde über ihn. Er unterhielt sich im Stillen mit ihnen, wenn er sich langweilte. Er kannte jedes kleine Detail auf ihren Gesichtern, jede Falte ihrer schimmernden Gewänder, jeden Haarriss auf dem glänzenden Hintergrund der Malerei. Er wusste sogar, wie viele Federn die Flügel der Engel hatten ... aber jetzt war es zu spät. Würde er jemals diese stolzen Flügel vor dem goldenen Firmament wiedersehen?

Als sie endlich die Kirche erreichten, konnte Gabriel die gleiche Traurigkeit, die er in sich spürte, in den Augen von Pfarrer Elmont lesen. Raphaela war schon da und wirkte auch ganz ratlos. Andere Polizisten trafen irgendwelche Vorkehrungen und nahmen Fingerabdrücke. Einer von ihnen fragte Gabriel nach seiner Version des abendlichen Kirchenbesuches. Gabriel fasste sich kurz: Er hatte nichts Außergewöhnliches zu erzählen, denn am Vorabend, um 21:15 Uhr, war das Gemälde noch an seinem Platz gewesen. Während er sich mit dem Polizisten unterhielt, betrachtete er aus dem Augenwinkel heraus die leere Wand, an der lediglich ein großer schwarzer Nagel an die drei Engel erinnerte.

»Gut, danke, Gabriel«, sagte der Kommissar, als der Junge seine knappe Zeugenaussage beendet hatte.

»Keine Ursache«, erwiderte Gabriel. »Ich ... man ... Sie werden die Engel doch sicher problemlos wiederfinden, oder? Wenn der Dieb versucht, sie zu verkaufen, werden Sie ihn sofort auffliegen lassen?«

Der Kommissar verzog skeptisch das Gesicht.

»Natürlich werden wir den französischen Kunstmarkt überwachen und die entsprechenden Stellen der Polizei im Ausland benachrichtigen. Aber wenn der Dieb im Auftrag eines privaten Sammlers unterwegs war, kann er die Ware ganz einfach und unauffällig liefern. Das ist vielleicht schon passiert. Weltweit gibt es ziemlich skrupellose Kunstliebhaber – es sind zwar nicht so viele, aber sie sind reich und sie reisen überallhin. Die Diebe haben also keine Probleme, ihnen die Meisterwerke im Untergrund zu verkaufen.«

Der Pfarrer schaute auf seine Armbanduhr.

»Entschuldigen Sie mich bitte, meine Herren, aber ich muss die Messe vorbereiten. Die ersten Gläubigen kommen sicher bald.«

»Stimmt, es ist ja Sonntag«, bestätigte der Kommissar nickend.

»Ich gehe in die Sakristei«, fuhr der Pfarrer fort, »Sie dürfen mich gerne begleiten, wenn Sie noch weitere Fragen haben.«

Pfarrer Elmont entfernte sich mit schleppendem Gang und gebeugten Schultern. Das entsprach so gar nicht seinem üblichen Auftreten. Normalerweise war er trotz seines fortgeschrittenen Alters mit flottem Schritt unterwegs. Offenbar fühlte er sich ein bisschen verantwortlich für diesen Diebstahl, weil die Kirche nicht abgeschlossen gewesen war.

Gabriel fand das ungerecht. Er rannte dem Pfarrer hinterher, um ihn etwas aufzumuntern.

»Herr Pfarrer?«, fragte er. »Soll ich heute in der Messe ministrieren?«

»Das wäre schön, Gabriel«, antwortete Pfarrer Elmont leise. »Ist deine Befragung durch die Polizei erledigt?«

34

»Ja, ich glaube schon«, sagte Gabriel unsicher. »Ich konnte ihnen nicht weiterhelfen.«

Er kehrte trotzdem noch einmal zurück, um abzuklären, ob man ihn noch brauchte.

Dann ging er zu Raphaela und flüsterte ihr zu: »Ich ministriere in der Messe.«

»Was bedeutet das?«, fragte seine Freundin.

»Das heißt, dass ich dem Pfarrer etwas zur Hand gehe. Bleibst du? Gehst du sonntags zur Messe?«

»Ab und zu«, erwiderte Raphaela. »Aber einverstanden, ich bleibe.«

»Treffen wir uns danach am Ausgang?«

»Okay.«

Als Gabriel seine Albe überstreifte, fiel ihm plötzlich etwas ein. In der ganzen Aufregung hatte er gar nicht daran gedacht, der Polizei die Geschichte von dem liegengebliebenen Buch und dem Mann mit dem Anorak zu erzählen. Fast wäre er ins Kirchenschiff zurückgegangen, aber dann überlegte er es sich anders: Den Verdacht der Untersuchungsbeamten auf einen zerstreuten Mann zu lenken, der nur ein Buch in der Kirche vergessen hatte, bedeutete, diesem Menschen unnötige Scherereien zuzumuten. Gleichwohl hätte er gerne die Spur des Lieferwagens verfolgt, gewusst, wohin er am Vorabend um Viertel nach neun gefahren war ... Was sollte er tun? Gabriel dachte nach, dann leuchteten seine Augen auf: Er wandte sich an den Pfarrer.

»Herr Pfarrer? Es gab doch gestern eine Hochzeit?«

»Ja.«

»Haben Sie die Trauung vollzogen?«

»Nein, das war ein Onkel der Braut.«

»Aha. Aber kannten Sie die Brautleute?«

»Nur vom Sehen. Warum?«

»Wissen Sie zufällig, welchen Partyservice sie für ihren Empfang hatten?«

Trotz seiner gedrückten Stimmung musste der Pfarrer lachen.

»Aber nein. Und ich weiß auch nicht, wo der Bräutigam seinen Anzug ausgeliehen hat. Hast du darüber hinaus noch weitere Fragen?«

Gabriel war etwas enttäuscht, hielt aber trotzdem an seiner Idee fest. Er unternahm einen letzten Versuch.

»Hätten Sie vielleicht ihre Telefonnummer?«

Verblüfft runzelte Pfarrer Elmont die Stirn, während er seine Stola richtete.

»Ich wüsste gerne, warum du mir diese Fragen stellst, Gabriel. Ich soll dir die Daten von Leuten geben, die dich nicht kennen? Das ist heikel, verstehst du? Was geht dir durch den Kopf? Warum willst du sie belästigen?«

In diesem Augenblick betrat eine bestürzt aussehende Frau mit einer Handvoll Noten die Sakristei.

»Guten Morgen, Herr Pfarrer, ich habe gerade die Polizei getroffen, scheinbar hat man ...«

»Ja, ja«, unterbrach sie der Pfarrer etwas ungeduldig. »Aber Diebstahl oder nicht, die Messe beginnt in fünf Minuten. Sind die Lieder ausgesucht? Ist der Organist schon da?«

Die Küsterin unterhielt sich weiter mit dem Pfarrer und Gabriel ging zur Kommode, in der sein Ministrantenkreuz aufbewahrt war. Dabei fiel sein Blick auf eine rechteckige cremefarbene Karte. Zwei umkränzte Namen standen darauf. Sein Herz machte einen Satz: Das war die Vermählungsanzeige der Hochzeit vom Vortag.

Gabriel schaute sich kurz um, aber der Pfarrer drehte ihm den Rücken zu. Er öffnete die Anzeige. Ganz unten war eine Mailadresse angegeben. Sie war nicht schwer zu behalten. Gabriel prägte sie sich ein. Und er verbrachte den Großteil der Messe damit, sie im Stillen zu wiederholen.

Kapitel 3

www.nach-concarneau-fahren.com

Raphaela wartete am Ausgang der Kirche auf Gabriel, wo alle Gemeindemitglieder über den nächtlichen Diebstahl diskutierten. Die zwei Kinder gingen zusammen über den sonnendurchfluteten Kirchplatz. Und wieder wünschte sich der Junge die Sonne an eine andere Stelle als die jetzige. Sie sollte im Tor liegen, wie am Abend zuvor. Am liebsten würde er die Zeit zurückspulen, sodass die drei Engel noch in der Kirche wären und man noch Zeit hätte, sie zu schützen. Er war traurig und fühlte sich leer wie die graue Mauer, aus der nur ein großer Nagel ragte.

»Möchtest du zum Mittagessen in den *Goldenen Schlüssel* kommen?«, fragte Raphaela. »Meine Eltern erwarten meine Schwestern und mich um halb zwölf, damit wir vor den ersten Gästen essen können. Dann lernst du meine Familie gleich kennen.«

»Denkst du, ihr habt noch einen Platz für mich?« Raphaela nickte.

»Es gibt fünfunddreißig Gedecke. Wird das für den Herrn reichen?«

Gabriel bedankte sich, wollte aber noch wissen: »Haben deine Eltern Internet im Restaurant?«

»Natürlich. Warum?«

»Um eine dringende E-Mail zu verschicken. Ich glaube, ich habe eine Idee, wie wir herausfinden, wohin der Mann mit dem Anorak gestern Abend verschwunden ist.«

Raphaelas verdutzte Miene ließ ihren Freund etwas ausholen. »Ich bin mir nicht sicher, ob es reiner Zufall war, schließlich ist der Typ nach uns in die Kirche gegangen. Ich möchte nur überprüfen, ob es einen Zusammenhang mit dem Diebstahl gibt.«

»Gabriel ... er konnte doch das große Gemälde nicht unter seinem Anorak verstecken.« Raphaela schaute ihn zugleich mitleidig und freundlich an, als hätte er gesagt: 2 + 2 = 5. Gabriel reagierte gereizt.

»Natürlich nicht. Aber er musste vielleicht nur den Ort ausfindig machen? Und später wiederkommen?«

Raphaela blieb einen Moment lang still, dann fragte sie spitzbübisch: »Was möchtest du arbeiten, wenn du erwachsen bist? Kriminalromane schreiben oder lieber Spionagefilme drehen?«

Jetzt war Gabriel richtig sauer.

»Ein Gemälde wurde gestohlen, Raphaela! Wir sind hier nicht in Hollywood, sondern im wahren Leben! Und ich versuche nur, Indizien zu finden.«

Raphaela betrachtete die großen empörten Augen ihres Freundes, sein verwuscheltes Haar, seine vor Aufregung roten Wangen. Und sie fragte mit einer Stimme, in der nicht mehr die leiseste Spur von Spott mitklang: »Was ist das für eine Idee? Wie willst du den Mann aufspüren?«

»Er hat doch einen Partyservice und es könnte sein, dass er gestern Abend das Hochzeitsmenü ausgerichtet hat. Ich habe die E-Mail-Adresse der Brautleute. Und ich würde gerne wissen, ob sie die *Köstlichkeiten aus dem Meer* gebucht hatten, verstehst du? Außerdem wollte ich fragen, ob sie den Mann kennen, ob sie wissen, woher er kommt, um wie viel Uhr er das Fest verlassen hat ... solche Dinge eben.«

»Das ist eine gute Idee«, sagte Raphaela anerkennend.

Die beiden standen inzwischen vor dem Restaurant. Als sie eintraten, wurden sie herzlich von Raphaelas Eltern begrüßt. Die beiden hatten am selben Morgen beim Frühstück von Gabriel gehört und freuten sich, dass der neue Freund ihre Tochter wieder zum Lachen gebracht hatte.

»Können wir Gabriel zum Essen einladen?«, fragte Raphaela.

»Selbstverständlich!«, rief ihr Vater. »Alles ist vorbereitet, nur Marie und Louise sind noch nicht da. Setzt euch, in fünf Minuten ist es soweit.«

»Gabriel würde gerne eine Mail verschicken, ginge das? Ist der Computer eingeschaltet?«

Gabriel setzte sich an den Computer und stellte die Verbindung zu seiner Mailbox her. Er hörte von Weitem, wie Raphaela ihren Eltern von dem Bilderraub erzählte und wie bestürzt diese reagierten. Doch nun konzentrierte er sich auf das, was er zu tun hatte, und schrieb die Mail, deren Text er sich bereits gut überlegt hatte.

Guten Tag,

ich bin der Cousin des DJ, der sich um die Musik an Ihrem Hochzeitsabend gekümmert hat. Er hat mir erzählt, das Essen sei vorzüglich gewesen. Da ich auch bald heiraten werde, bin ich auf der Suche nach einem Catering und wollte Sie bitten, ob Sie mir freundlicherweise den Namen Ihres Kochs verraten würden. Ist er zuverlässig? Wie sind seine Arbeitszeiten?

Mit herzlichen Glückwünschen!

Gabriel

Gabriel griff nach der Maus und wollte schon auf »Senden« klicken. Aber im letzten Augenblick zog er den Zeigefinger zurück.

Diese Mail war eine dicke Lüge. Und vor Lügen nahm Gabriel sich in Acht. Er mochte es nicht, wenn man ihn belog, und das führte logischerweise dazu, dass er auch andere nicht belügen sollte. Außerdem musste man sich vor einer Falschaussage wie vor einem Bumerang hüten: Das konnte direkt ins Auge gehen. Gabriel las seinen Text noch einmal. Und wenn der DJ der Bruder der Braut war? Da würde er ganz schön dumm aussehen!

Gabriel löschte seine Nachricht und fing von vorne an.

> Guten Tag,
> ich wohne in der Nähe der Kirche, in der Sie geheiratet haben, und habe dort einen Lieferwagen des Catering-Service *Köstlichkeiten aus dem Meer* gesehen. Könnten Sie mir freundlicherweise mitteilen, was Sie von diesem Koch halten? Ist er empfehlenswert und zuverlässig? Wie lange arbeitet er am Abend?
> Vielen Dank im Voraus für Ihre Hilfe und herzliche Glückwünsche!
> Gabriel
> PS: Entschuldigen Sie bitte meine Indiskretion! Ich bin zufällig auf Ihre Hochzeitsanzeige mit Ihrer E-Mail-Adresse gestoßen, hoffentlich nehmen Sie mir das nicht übel. Ich brauche dringend Informationen über diesen Koch und weiß nicht, an wen ich mich ansonsten wenden könnte … vielen Dank!

Gabriel las den Text noch einmal. Jetzt war er zufrieden. Er hatte nur die Wahrheit gesagt und fand das Ganze sehr viel überzeugender. Entschlossen klickte er auf »Senden«. Aber er erhielt umgehend eine automatische Antwort ...

Liebe Freunde,

danke, dass ihr an diesem unvergesslichen Fest teilgenommen habt. Wir sind bis zum 15. September auf Hochzeitsreise in Italien. Wir freuen uns auf eure Nachrichten, sobald wir wieder zurück sind.

Love

Emma und FX

Gabriel ballte wütend die Fäuste. Vierzehn Tage Ferien direkt vor Schulbeginn, das war der Gipfel! Sich genau dann davonmachen, wenn eine schnelle Antwort nötig war! Wie gemein!

Er erzählte Raphaela von seinem Misserfolg, als er ihr beim Tischdecken half. Dann machte er sich über das beste Steak her, das er jemals gegessen hatte, auch wenn ihm die gerade erlebte Enttäuschung etwas den Appetit verdorben hatte.

»Keine Sorge, wir werden die Informationen, die wir suchen, trotzdem finden«, raunte ihm Raphaela zu. »Wir müssen nur auf die Website des Catering-Service im Internet gehen, die Telefonnummer raussuchen und dann rufen wir einfach an und erkundigen uns ...«

»Was erzählt ihr zwei euch für Geheimnisse?«, posaunte Marie dazwischen, die gerade mit Louise an der Hand das Lokal betrat. Raphaela verdrehte die Augen. Ihre große Schwester sollte ihre Kommentare besser für sich behalten!

»Ich weiß ja nicht, welche Liebeserklärung du ihm gerade gemacht hast«, fuhr Marie grinsend fort, »aber dein Tischnachbar sieht ziemlich aufgeregt aus!«

Maries Spott zwang ihn, sich zusammenzureißen, aber Gabriel jubelte innerlich. Warum war ihm diese einfache Lösung nicht eingefallen? Mit großem Appetit verschlag er nun die Reste auf seinem Teller und beantwortete gleichzeitig die Fragen der Mädchen über die Schule. Er fühlte sich schon richtig wohl in dieser Familie, auch wenn ihn Marie etwas einschüchterte, da sie mit ironischen Spitzen um sich schoss wie mit Pfeil und Bogen. Außerdem war sie fünfzehn Zentimeter größer als er und sah schon aus wie eine Jugendliche. Aber hinter ihrer Maske spürte Gabriel ihr freundliches Wesen. Ihm war auch klar, wie sehr es ihr vor dem Schuljahresbeginn grauste, und er bemühte sich, ihr die Angst vor der neuen Schule zu nehmen. Louise hingegen schien die Vorstellung eines neuen Kindergartens nicht im Geringsten zu stören. Mit ihren großen Augen und ihren ulkigen Kommentaren war sie einfach nur süß.

»Nachtisch, Kinder? Nehmt euch, so viel ihr wollt«, bat Raphaelas Mutter, als sie mit dem Hauptgericht fertig waren.

Der Schokoladenkuchen wurde mit Schlagsahne serviert. Da er es nicht abwarten konnte, seine Suche im Internet fortzusetzen, nahm sich Gabriel nur viermal nach. Raphaela und ihre Schwestern schälten indessen Pfirsiche.

»Wollt ihr wirklich nichts von dem Kuchen?«, fragte Gabriel erstaunt.

»Weißt du, wir können den Kuchen das ganze Jahr über essen ... da sind uns die frischen Sommerfrüchte lieber, solange es noch welche gibt.«

Als der Festschmaus beendet und der Tisch abgeräumt war, zogen sich die Eltern in die Küche zurück, um die letzten Vorbereitungen zu treffen, bevor sie das Restaurant für die Gäste öffneten. Marie, die eine schöne Schrift hatte, wurde damit betraut, das Tagesgericht auf die schwarze Tafel im Restaurant zu schreiben. Während sie ihre schwungvollen Buchstaben zeichnete und Louise die Brotkörbchen auf den Tischen verteilte, schlichen Gabriel und Raphaela zum Computer und öffneten die Suchmaschine. Sie tippten *Köstlichkeiten aus dem Meer* ein.

Es gab in ganz Frankreich mehrere Restaurants und sogar Konservenfabrikanten mit diesem Namen, aber keinen einzigen Partyservice. Die Kinder fanden nirgends den Schriftzug mit den blauen Buchstaben, den sie auf dem Lieferwagen gesehen hatten.

»Ich glaube, wir müssten der Polizei davon erzählen«, murmelte Raphaela.

»Was denn erzählen? Sollen wir den Lieferwagen von einem Geister-Partyservice beschreiben?«, presste Gabriel enttäuscht zwischen den Zähnen hervor. »Ich wette, das war ein falscher Name und er ist bereits abgewaschen.«

»Schade, dass wir uns das Kennzeichen nicht gemerkt haben.«

»Merkst du dir immer alle Kennzeichen?«

»Wir könnten zumindest eine Personenbeschreibung dieses Mannes abgeben.«

»Erinnerst du dich an sein Gesicht?«

»Äh … nein, nicht wirklich. Nur an seinen Anorak. Und an seine Mütze. Und an seine schlecht rasierten Wangen. Demnach müsste er braunhaarig sein.«

»Einen Anorak und eine Mütze zieht man wieder aus. Barthaare verschwinden beim Rasieren und die dunklen Haare sind nur eine Vermutung.«

Raphaela nickte bekümmert.

»Du hast recht.«

»Die einzige Lösung, die ich sehe, wäre …«, fuhr Gabriel nach einer kurzen Pause fort, »… am 31. August um zwei Uhr zu diesem berühmt-berüchtigten Rendezvous in Concarneau zu fahren. Da hätten wir die Chance, unseren Unbekannten zu treffen.«

Raphaela starrte ihn irritiert an. Sie beugte sich wieder über den Computer und startete eine Suche.

»Das sind fünf Stunden auf der Autobahn, Gabriel.«

»Und mit dem Zug?«

Raphaela tippte auf der Tastatur herum. Auf der Website der Bahn erschien eine unendlich lange Reise mit mehreren Umstiegen. Und der Preis übertraf bei Weitem den Inhalt ihrer beider Spardosen.

»Wie sollen wir da alleine hinkommen?«, seufzte Raphaela. »Und wenn wir dort wären, wohin sollten wir überhaupt gehen?«

Jetzt übernahm Gabriel die Internetrecherche und schaute sich die Hafenkarte an.

»Stimmt«, musste er zugeben, »der Ort ist zu groß, wenn man nicht weiß, wo dieses Treffen stattfindet.«

Ein Gästepaar betrat das Restaurant und die Kinder schauten vom Bildschirm hoch.

»Wir müssen los«, flüsterte Raphaela. »Meine Eltern mögen es nicht, wenn wir hinter dem Tresen am Computer sind.«

Gabriel nickte. Ziemlich enttäuscht verließen sie den *Goldenen Schlüssel*.

Kapitel 4
Die neugierige Marie

Die beiden Kinder verbrachten den Nachmittag damit, Pläne zu schmieden, wie sie nach Concarneau gelangen könnten. Aber das war ungefähr so, wie eine Reise auf den Mond ins Auge zu fassen, zumindest, solange sie nicht mit den Erwachsenen darüber reden wollten. Und das kam nicht infrage. Gabriel stellte sich die Gesichter seiner Eltern vor, wenn er sie um Erlaubnis bitten würde, zusammen mit einer charmanten jungen Dame mit dem Zug in ein bretonisches Hafenstädtchen zu fahren – das Ganze noch dazu zwei Tage vor Schulbeginn.

Als sie am späten Nachmittag auf der Wiese im Park saßen und immer noch darüber nachgrübelten, kam Marie auf sie zu. Gut gelaunt ließ sie sich neben ihnen ins Gras fallen.

»Wo ist Louise?«, fragte Raphaela.

»Bei den Eltern. Sie machen eine Fahrradtour, bevor sie das Restaurant öffnen. Und wie geht es euch? Ihr schaut so mürrisch ...«

»Nein, alles in Ordnung«, erwiderten beide hastig und strengten sich an, ein entspanntes Gesicht aufzusetzen.

»Seid ihr traurig, weil wir hier so weit entfernt von Concarneau wohnen?«

Gabriel und Raphaela zuckten zusammen und starrten Marie an, als wäre sie eine Kristallkugel, die sich in ein dreizehnjähriges Mädchen verwandelt hatte. Marie brach in lautes Gelächter aus, aber ihre Schwester, die sie besser kannte, hörte heraus, dass Marie etwas verlegen war.

»Woher weißt du das?«, fragte Raphaela streng.

»Mein kleiner Finger hat es mir verr...«

»Und weiter?«, unterbrach Raphaela sie mit ärgerlich hochgezogenen Augenbrauen.

»Ich musste heute Nachmittag eine Recherche im Internet machen und ... und als ich den Verlauf der angeschauten Webseiten durchgeblättert habe, fand ich mehrmals den Namen Concarneau, also na ja ... das war's auch schon.«

Raphaelas Blick hatte sich verdunkelt wie der Himmel vor einem Gewitter.

»Du solltest dich schämen, Marie! Vertreibe ich mir etwa die Zeit damit, die Liste der Seiten anzuschauen, auf denen du unterwegs bist?«

»Das kannst du gerne machen«, bot ihr die große Schwester an, »es sind nur gute Seiten.«

»Ich mache das aber nicht!«, schrie Raphaela so laut, dass die Spaziergänger, die in der Allee unterwegs waren, sich umdrehten. Sie sprach leiser weiter.

»Das gibt es doch nicht! Von seiner eigenen Schwester bespitzelt!«

Marie schielte geknickt von Raphaela zu Gabriel.

»Entschuldigung! Ja, ich war vielleicht ein bisschen neugierig. Aber passt mal auf, um es wiedergutzumachen ... ich ... also ... nachdem ich ›Concarneau‹ eingetippt habe, um zu erfahren, warum ihr dahin fahren wolltet, habe ich ...«

»Du? Was hast du gefunden?«, fragte Raphaela höhnisch. »Das Festival des Jahrhunderts? Das Konzert des Jahrtausends mit unseren Lieblingsbands?«

»Nein. Nichts dergleichen. Nur die Ankündigung

einer Reportage über den Makrelenfang, die morgen um 20:30 Uhr im Fernsehen übertragen wird.«

»Und sonst?«, blaffte Raphaela sie mit schneidender Stimme an.

»Sonst nichts ... das ist alles. Ich dachte nur, es würde euch vielleicht gefallen, das anzuschauen, wenn ihr an der Stadt interessiert seid ...«

Gabriel und Raphaela warfen sich einen kurzen Blick zu. Ein Dokumentarfilm würde ihnen wohl kaum bei ihrer Suche weiterhelfen. Obwohl ... immerhin war es eine Direktübertragung ... und morgen Abend wäre der 30. August. Wer weiß, warum sollten sie nicht zufällig am Vorabend des geheimnisvollen Rendezvous das Gesicht des Unbekannten auf den Uferstraßen des Hafens wiedersehen?

Raphaela nahm sich ihre Schwester erneut vor.

»Mir würde vor allem gefallen, Marie, wenn du mir versprichst, so etwas nie wieder zu tun! Das ist eine Vertrauenssache. Vertrauen zwischen uns ist wichtiger als alles andere.«

Marie schaute Raphaela direkt in die Augen.

»Versprochen, ganz ehrlich, versprochen!«

Die Schwestern standen einige Sekunden bewegungslos da, dann lachten sie sich zu. Gabriel bedauerte einmal mehr, keinen Bruder zu haben, den man von Zeit zu Zeit nicht ausstehen kann, um sich dann wieder mit ihm zu vertragen.

Gabriel mochte Reportagen im Fernsehen, vor allem, wenn sie über Raketenstarts oder Bergrettungen berichteten. Eine Sendung über Makrelenfischerei hätte ihn allerdings bisher nicht unbedingt veranlasst, vor dem Fernseher zu sitzen. Doch an diesem Abend verfolgte er begeistert die Interviews mit den Hochseefischern von Concarneau und richtete dabei seine ganze Aufmerksamkeit auf das, was sich im Hintergrund abspielte. Neben ihm saß Raphaela kerzengerade auf dem Rand des Sofas und konzentrierte sich ebenfalls auf die Bilder der Filmkamera, die ihre Schwenks durch das Hafenbecken machte.

Sie wagten nicht, miteinander zu sprechen, um nichts zu verpassen. Ab und zu hielten sie nervös den Atem an und umklammerten ihre Knie mit den Armen. War es etwa dieser Fischer mit dem struppigen Bart unter seiner gelben Mütze? Nein, zu alt. Oder der andere, der eine Kiste aus einem Fischerboot auslud? Nein, zu blond und zu braun gebrannt.

In dem Augenblick, als der große unverdächtige Blonde gerade dem Journalisten seinen Beruf erklärte, betraten Gabriels Eltern das Wohnzimmer. Sie waren in Ausgehkleidung.

»Dann lassen wir euch mal alleine, wir müssen los«, verabschiedete sich Gabriels Mutter.

Die Kinder wandten sich ihr so kurz wie möglich zu, um nicht unhöflich zu erscheinen.

»Schönen Abend und bis morgen«, sagte Gabriel.

»Danke nochmal, dass ich eingeladen war, diese Sendung anzuschauen«, sagte Raphaela wohlerzogen.

»Ist das interessant?«, fragte Gabriels Vater aufgeräumt. Er war ganz gerührt, dass die beiden Kinder sich für eine so nüchterne Sendung begeisterten.

»Auf jeden Fall!«, antwortete Gabriel und richtete seine Aufmerksamkeit wieder auf den Bildschirm.

»Du bringt Raphaela dann zurück?«, erinnerte ihn seine Mutter. »Es ist netter für sie, nicht alleine nach Hause zu gehen.«

Gabriel fand diese Bemerkung unnötig. Er hatte sowieso daran gedacht und hätte Raphaela gerne ohne mütterliche Aufforderung angeboten, sie nach Hause zu begleiten. Manchmal behandelten seine Eltern ihn noch immer wie ein kleines Kind.

»Natürlich, Mama«, seufzte er, ohne den Fernseher aus den Augen zu lassen. »Das hätte ich übrigens auch ohne deine Anweisung gemacht!«

So, das hatte gesessen!

Seine Mutter bemerkte seine Verstimmung und sagte schnell, als wolle sie sich entschuldigen: »Aber bevor ihr geht, könnt ihr euch noch ein Eis aus der Kühltruhe holen.«

»Danke, Mama, bis morgen!«

Die Haustür fiel ins Schloss. Endlich waren die Eltern weg. Die Sendung lief noch eine Viertelstunde weiter, ohne dass die Kinder den Leser der *Erinnerungen von jenseits des Grabes* im Hafen von Concarneau entdeckt hatten.

»Schade!«, brummte Gabriel und schaltete das Gerät aus.

Raphaela reckte und streckte sich. Nach dieser langen Zeit ohne Bewegung fühlte sie sich ganz steif, die Muskeln waren verkrampft.

»Das war anstrengender, als einen spannenden Film anzuschauen«, stellte sie fest. »Und alles für die Katz!«.

»Komm, wir trösten uns mit einem Eis!«

Sie hatten ihre Vanille-Karamell-Hörnchen bereits still und etwas deprimiert zur Hälfte aufgegessen, als Gabriel etwas einfiel.

»Ach, ich habe vergessen dir zu sagen, dass ich, bevor du kamst, meine Mails abgerufen und eine nette Nachricht der Brautleute vom Samstag erhalten habe. Sie hatten sich doch eingeloggt, um ihre Post von Süditalien aus zu beantworten.«

»Und?«, fragte Raphaela begierig.

»Tja, die *Köstlichkeiten aus dem Meer* sind nicht von ihnen gebucht worden. Das überrascht uns nicht, oder? Deshalb habe ich es dir auch nicht gleich erzählt. Es gab Fleisch zum Abendessen und ihr Catering hieß *Jean* äh ... irgendwas ... Mist, ich hab einen Blackout! Moment, das fällt mir wieder ein ... Es war ein Name, der auf ... *ac* endete.«

»Na, so wichtig ist das ja auch wieder nicht«, beruhigte ihn Raphaela.

»Genau«, klagte Gabriel. »Und wir sind nicht besonders vorangekommen«.

»Ich würde eher sagen, unser Vorhaben hat sich erledigt. Das Treffen findet morgen statt.«

Die beiden Kinder betrachteten gedankenverloren die Spur des geschmolzenen Vanilleeises, das an den Hörnchen hinabfloss. Dann schaute Gabriel seine Freundin an und sagte: »Wir müssen morgen die Polizei anrufen. Sie hat Mittel, den Hafen von Concarneau zu überwachen. Ich bin mir jetzt ganz sicher, das Gemälde wird von dort verschickt, vielleicht sogar ins Ausland …«

»Wahrscheinlich«, stimmte Raphaela mit ernster Miene zu. »Die Polizei und der Zoll haben mehr Möglichkeiten als wir, um zum Beispiel die Boote zu durchsuchen.«

In der Ferne schlug die Kirchturmuhr viertel nach neun. Die Kinder standen auf.

»Danke für die Einladung«, sagte Raphaela noch einmal, »und danke an deine Eltern für das Eis.«

»Gerne. Ich finde es schön, dass du jetzt mein Zuhause kennst.«

Die Kinder gingen in die laue Nacht. Nach einigen Schritten auf der Straße rief Gabriel plötzlich laut: »Aubrac!«

»Wie bitte?«, fragte Raphaela überrascht.

»*Jean d'Aubrac!* So hieß der Catering-Service der Brautleute. Es ist mir wieder eingefallen … Aber … ist ja egal.«

Raphaela nickte. Sie trotteten still weiter, aber dann bemerkte Gabriel, dass seine Freundin immer langsamer wurde. Er verlangsamte ebenfalls seinen Schritt. Sie blieb stehen, er blieb auch stehen und schaute sie an. Sie hatte weit geöffnete Augen wie eine hypnotisierte Person aus einem Comic. Hätte Gabriel in diesem Moment ihr Porträt malen müssen, dann würde eine große Wolke aus Fragezeichen um ihren Kopf herumwirbeln.

»Woran denkst du?«, fragte er.

Raphaela schüttelte den Kopf.

»Das ist sicher nur eine dumme Idee.«

»Sag's trotzdem. Die dümmsten Ideen sind manchmal die gescheitesten!«

»*Aubrac* hat mich an *Rungis* denken lassen.«

Gabriel sah aus wie ein Känguru, dem man ein chinesisches Gedicht vorgelesen hatte. Raphaela grinste.

»Ich erklär's dir. Rungis ist ein riesiger Großmarkt, fünfzig Kilometer von hier, im Süden von Paris. Da findet man alles: Fleisch, Fisch, Gemüse, Pflanzen ... Meine Eltern kaufen dort für das Restaurant ein.«

»Aha. Und Aubrac?«

»Aubrac ist eine Gegend in Frankreich, in der sehr gutes Fleisch produziert wird. Deshalb heißt in dem

Großmarkt der Gang, in dem das Fleisch angeboten wird, *Rue d'Aubrac.*«

»Verstanden, aber ich sehe keine Verbindung zu unseren Engeln ...«

»Es gibt vielleicht keine Verbindung. Ich kann es mir jedenfalls nicht vorstellen. Aber in Rungis heißt auch ein Gang *Rue de Concarneau.* Dort wird Fisch verkauft.«

Der Einschlag eines Meteoriten direkt vor Gabriels Fußzehen hätte nicht heftiger sein können. Er ließ seinen Blick hinüber zu dem kleinen friedlichen Platz wandern, als könnten Raphaelas Worte die Fassaden der alten Häuser zum Einsturz bringen, aber es passierte nichts, und so schaute er wieder in die ernsten Augen seiner Freundin.

»Du willst damit sagen, dass vielleicht ...«

»... dass wir vielleicht auf der falschen Fährte waren, als wir an den Hafen von Concarneau dachten. Dass das Rendezvous vielleicht in Rungis stattfindet. Aber dass ich vielleicht auch irgendeinen Unsinn erzähle.«

Gabriel erhob die Stimme: »Dann soll die Polizei die beiden Orte gleichzeitig überwachen! Wir müssen sie sofort anrufen!«

»Meinst du?«

»Natürlich! Willst du nicht, dass wir unsere drei Engel wiederfinden?«

Gabriel war fast beleidigt, weil Raphaela auf einmal so wenig Begeisterung zeigte. Seine Freundin schien auf dem Weg Wurzeln geschlagen zu haben, dabei drängte die Zeit!

»Was machst du da?«, fragte Raphaela, als Gabriel an seinen Fingern abzählte.

»Ich rechne aus, wie viele Stunden der Polizei bleiben, um eine doppelte Überwachung zu organisieren – und zwar vor 14 Uhr morgen.«

»Wenn sich das Treffen in Rungis abspielt, dann wäre es nicht um 14 Uhr nachmittags, sondern um 2 Uhr nachts ... Der Markt ist nämlich immer nur nachts geöffnet.«

»Was???«

»Na klar! Die Händler kommen, um die Vorräte für ihre Läden aufzufüllen, die morgens öffnen. Also machen sie ihre Einkäufe in der Nacht. Verstehst du? Das bedeutet, es bleiben ... vier Stunden und fünfundvierzig Minuten!«

Ein paar Straßen weiter schlug die Kirchenglocke zur halben Stunde.

»Vier Stunden und dreißig Minuten«, korrigierte Raphaela.

»Schnell! Wir rufen die Polizei an!«, keuchte Gabriel aufgeregt.

»Warte mal! Ich frage mich, ob es nicht besser wäre, wenn wir uns selbst auf den Weg machen würden. Schließlich sind wir die einzigen, die den Typen wiedererkennen könnten ...«

Zum ersten Mal in seinem Leben hatte Gabriel das Gefühl, von zwei Erdbeben innerhalb von drei Minuten durchgerüttelt zu werden.

»Ich habe die Möglichkeit, dorthin zu kommen«, fuhr Raphaela gelassen, aber mit schelmischem Unterton fort, als sie sah, wie verblüfft ihr Freund reagierte. »Mein Vater fährt nämlich genau heute nach Rungis ...«

Kapitel 5
Blinde Passagiere

Gabriel ließ den Blick durch sein Zimmer schweifen. Seine Inszenierung schien überzeugend: Ein längliches Gebilde, das aus seinem Kopfkissen und ein paar zu diesem Zweck zusammengerollten Hosen bestand, erhob sich unter seiner Bettdecke. Er hatte wirklich den Eindruck, sich selbst in seinem Bett liegen zu sehen! Um alles perfekt zu machen, hatte er sich umgezogen und die Kleider vom Tag in einem Haufen auf dem Teppichboden verstreut. Wenn die Eltern den Kopf durch die Tür steckten, würden sie das übliche Bild sehen, das ihnen immer einen Seufzer entlockte: »Also wirklich Gabriel, du hast einen Stuhl, um deine Kleider abzulegen!«

Gabriel dachte nach, holte einen Comic aus dem Regal und breitete ihn aufgeschlagen vor seinem Nachttisch auf den Fußboden aus. Mehr musste er nicht vortäuschen, nicht einmal ein künstliches Schnarchen, denn glücklicherweise schnarchte er nicht. Blieb nur zu hoffen, dass seine Eltern, wenn sie von ihrem Abendessen zurückkamen, nicht an sein Bett traten, um ihm einen Kuss auf die Stirn zu geben. Das wäre wirklich ganz großes Pech, der unpassendste Moment des Jahrhunderts für einen Liebesbeweis. Dieses Risiko ließ ihn auf der Türschwelle seines Zimmers zögern. Er ging zurück zu seinem Schreibtisch und kritzelte eine kleine Nachricht:

Lieber Papa, liebe Mama,
macht euch keine Sorgen um mich. Es geht mir gut, da wo ich bin, und ich tue nichts Unrechtes, Ehrenwort!
Ich werde es euch morgen früh erklären, wenn ich zurück bin.
Gabriel

Er legte den Zettel auf das Kopfkissen und schlug die Bettdecke darüber. Er hatte an alles gedacht.

Oh nein! Noch eine Kleinigkeit: Raphaela hatte ihm geraten, einen Pullover mitzunehmen, da es in den Markthallen, in denen der Fisch verkauft wurde, nur acht oder zehn Grad waren. Er stürzte zu seinem Schrank, griff nach einem Fleecepulli und band ihn sich um die Taille.

Jetzt konnte es losgehen!

Als Gabriel das Haus verließ, zeigte seine Armbanduhr 0:45 Uhr. Er schlich dicht an den Häusern entlang zu Raphaela und fühlte sich in Erwartung des bevorstehenden nächtlichen Ausflugs wie im Rausch. Der Himmel war übersät mit Sternen. In der letzten Zeit hatte Gabriel öfter Sternschnuppen-Regen von seinem Zimmerfenster aus beobachtet. Aber jetzt hatte er keine Zeit, den Kopf zu heben, um sich mit diesem Naturschauspiel zu befassen. Er fand allerdings, dass es eine wirklich schöne Nacht war, gerade richtig, um die drei Erzengel zurückzuholen ...

Raphaela erwartete ihn wie verabredet unter dem Vordach der Garage des Nachbarhauses.

»Alles in Ordnung?«, flüsterte er leise. »Kommt dein Vater?«

»Ja. Er trinkt seinen Kaffee«, erwiderte sie und wies mit einer Kopfbewegung auf ihr Küchenfenster, das wie ein leuchtendes Viereck in die Nacht strahlte.

Dann zeigte sie auf den Lieferwagen des *Goldenen Schlüssels*, der neben dem Gehsteig direkt vor ihnen geparkt war.

»Glück gehabt!«, sagte sie. »Mein Vater hat das Auto vor dem Schlafengehen aus der Garage geholt, um beim Losfahren nicht die Nachbarn zu stören. Das Garagentor quietscht.«

»Ist das Auto hinten offen?«

»Ja, ich habe es schon überprüft. Steigen wir ein?«

Die beiden Gestalten tasteten sich auf leisen Sohlen zum Auto, als plötzlich ein Gespenst aus dem Garten auftauchte und sich vor ihnen aufbaute. Seine riesigen Augen spiegelten das Licht der nahen Straßenlaterne. Raphaela stieß einen unterdrückten Schrei aus.

»Louise! Was hast du hier zu suchen?«

»Ich will mit euch fahren!«

»Aber wir fahren nirgends hin!«

»Du lügst!«, schimpfte Louise mit schriller Stimme. Raphaela zog sie an sich, legte ihr die Hand auf den Mund und lugte ängstlich zur Küche. Hinter dem Fenster rührte sich nichts.

Louise wand sich, um sich loszureißen. Raphaela war klar, eine Lüge holt einen immer wieder ein, besonders, wenn man zu dick aufträgt.

Deshalb flüsterte sie ihrer kleinen Schwester ins Ohr: »Hör mal zu, Louise. Es stimmt, wir fahren weg. Wir wollen mit Papa nach Rungis. Aber er weiß es nicht. Deshalb bitte ich dich, sei jetzt still! Es geht um eine sehr, sehr, sehr wichtige Sache und sie darf wegen dir jetzt nicht schiefgehen.«

Louise schien nicht überzeugt. Sie rollte mit ihren Augen, die wie schwarze Murmeln aussahen und vor Empörung blitzten.

»Louise«, mischte sich Gabriel ein, »wenn du wieder ganz lieb ins Bett gehst, bringe ich dir eine Überraschung aus Rungis mit.«

Dieses Angebot hatte den gewünschten Effekt. Die zornig funkelnden Murmeln beruhigten sich. Raphaela nahm vorsichtig die Hand vom Mund ihrer kleinen Schwester. Louise schwieg.

»Was für eine Überraschung?«, fragte sie dann interessiert nach.

»Das kann ich dir nicht verraten, weil es eine Überraschung ist«, erwiderte Gabriel mit geheimnisvoller Miene. Er war froh, dass er der Antwort ausweichen konnte, da er nicht die leiseste Vorstellung eines Geschenkes hatte.

Louise dachte angestrengt darüber nach, ob sich der Vorschlag lohnte.

»Wie bist du aus dem Haus gekommen?«, flüsterte Raphaela.

»Durch die Terrassentür, wie du«, erwiderte Louise.

Raphaela seufzte.

»Unglaublich, was für einen leichten Schlaf du in deinem Alter hast. Dabei war ich so leise, als ich aufgestanden bin. Du wirst jetzt wie eine Große wieder hineingehen, auf demselben Weg, und du passt gut auf, dass Papa dich nicht erwischt. Leg dich gleich ins Bett, versprochen?«

»Ich will aber, dass du mich begleitest«, jammerte Louise.

»Das ist unmöglich. Papa wird jeden Moment herauskommen. Nun mach schon, Louise, sei lieb! Du bekommst eine Belohnung, aber sei lieb!«

»Meine Nase läuft«, quengelte Louise mit weinerlicher Stimme. Raphaela holte ein Taschentuch aus ihrer Hosentasche, putzte ihrer kleinen Schwester die Nase und gab ihr einen Kuss auf die Wange.

»Los jetzt, Louise! Gute Nacht und bis morgen!«

Das kleine Mädchen schlüpfte widerwillig zurück in den Garten. Als sie um das Haus herumging, ertönte ein wütendes Kläffen hinter der Hecke der Nachbarn, das alle zusammenzucken ließ. Louise kam sofort zurückgeflitzt.

»Ich habe Angst!«, wimmerte sie.

»Du weißt genau, dass dieser blöde Dobermann angekettet ist und zehnmal in der Nacht bellt, ohne irgendjemanden aufzufressen«, knurrte Raphaela. »Komm schon, Louise, je schneller du reingehst, desto schneller hört er auf zu bellen.«

»Ich möchte, dass Gabriel mich begleitet«, forderte Louise nun in einem Tonfall, der besagte: Es ist in eurem Interesse, nicht Nein zu sagen! Gabriel holte Luft, nahm das Mädchen an der Hand und zog es hinter sich her. Sie durchquerten den Garten und rannten am Haus entlang, während der Hund nebenan wie verrückt tobte. Raphaela blieb mit klopfendem Herzen auf dem Gehsteig. Sie wusste, dass ihr Vater um diese Zeit nicht lange für seinen Kaffee brauchte. Hoffentlich war Gabriel rechtzeitig zurück.

Doch da ging bereits die Haustür auf. Sie sah ihren Vater herauskommen und sachte die Tür abschließen. Schnell duckte sie sich hinter den Gartenzaun, dort wo der Briefkasten hing. Ihr Vater nahm eine große leere Kiste mit, die auf der Außentreppe stand, und trug sie zum Auto. Genau in diesem Moment tauchte Gabriel an der Hausecke auf. Ratlos blieb der Junge stehen. Er wusste nicht, wie er reagieren sollte. Glücklicherweise bemerkte ihn Raphaelas Vater nicht. Als er vor dem Lieferwagen stand, öffnete er die beiden Flügel der Hecktür und schob die Kiste in den Laderaum. Danach ging er zur Fahrertür, stieg ein und setzte sich ans Steuer.

Mit an Verzweiflung grenzender Enttäuschung verfolgten die beiden Kinder von ihrem jeweiligen Standort aus jede seiner Bewegungen. Im Licht der Straßenlaterne sah Raphaela, wie der Fahrer das Armaturenbrett abtastete und etwas suchte, das er offensichtlich nicht fand. Nach dreißig Sekunden ging die Autotür wieder auf und der Fahrer lief zum Haus zurück. Kurz darauf ging das Licht in der Diele an. Die Haustür stand offen, trotzdem ergriff Gabriel seine Chance und preschte zum Lieferwagen. Zusammen mit Raphaela stieg er in Windeseile in den Laderaum und schloss die Hecktür so leise wie möglich. Geschafft!

Im Auto standen vier oder fünf leere Kunststoffbehälter von der Sorte, die Raphaelas Vater gerade mitgebracht hatte, und ein paar große Taschen. Gabriel und Raphaela seufzten erleichtert.

»Das war knapp!«, wisperte Raphaela.

»Ich wusste nicht, wie stressig so eine kleine Schwester sein kann ...«, sagte Gabriel.

Sie klatschten leise ab, wie zwei Ausbrecher, die gerade die Schweizer Grenze passiert hatten, und versteckten sich vorsichtshalber hinter den aufgestapelten Kisten.

Weniger als eine Minute später hörten sie die Fahrertür einschnappen, und schon startete der Lieferwagen. Langsam fuhr er durch die kleine Stadt, dann erreichte er die kaum befahrene Bundesstraße. Gabriel und Raphaela unterhielten sich, da ihre Stimmen vom Bullern des alten Motors und den vor sich hin scheppernden Kisten übertönt wurden. Der Fahrer konnte sie nicht hören.

»Wenn wir ankommen, müssen wir schnell sein!«, kündigte Raphaela an. »Sobald der Motor ausgeschaltet ist, springen wir raus und verschwinden nach links, damit Papa uns nicht sehen kann, wenn er seine Tür aufmacht.«

Gabriel schaute auf seine Armbanduhr. Sie zeigte 1:02 Uhr an.

»Kennst du dich auf dem Markt aus?«, fragte er. »Wirst du die *Rue de Concarneau* wiederfinden? Wir haben keine Zeit zu verlieren ...«

»Keine Sorge«, beschwichtige ihn Raphaela, »ich war schon mehrmals da.«

Dann zog sie die Stirn in Falten.

»Ich habe allerdings keine Ahnung, wie wir den Typen in der Fischhalle finden sollen.«

»Wir müssen einfach einen Rundgang machen.«

»Hmm ... du wirst sehen, dass die Halle riesig ist«, gab Raphaela zu bedenken. »Aber selbst falls wir ihn ausfindig machen, können wir ohne die Hilfe von Erwachsenen kaum etwas ausrichten. Wenn ich jetzt darüber nachdenke, dann hätten wir doch die Polizei informieren sollen, wie du vorgeschlagen hast. Ich habe mich etwas hinreißen lassen ...«

»Das werden wir dann schon vor Ort sehen«, meinte Gabriel. »Alles zu seiner Zeit.«

Die Kinder schwiegen. Das Brummen des Motors machte sie etwas benommen, und obwohl Gabriel nicht müde war, musste er gähnen.

»Fährt dein Vater oft nach Rungis?«

»Zwei- oder dreimal pro Woche und das seit fünfzehn Jahren, seitdem er Chefkoch ist.«

Gabriel riss verblüfft die Augen auf. Raphaela musste lachen.

»Die Lebensmittel müssen doch immer frisch sein, oder?«

Ihr Freund nickte.

»Ich dachte, die Leute, die in einem Restaurant arbeiten, können ausschlafen, bis ihr Laden wieder aufgemacht wird.« Raphaela lachte wieder auf.

»Das ist ein sehr anstrengender Beruf. Aber meine Eltern sind mit Leib und Seele dabei.«

Um 1:36 Uhr bremste der Wagen. Gabriel streckte seine Hand schon zum Türgriff aus, aber Raphaela stoppte seine Bewegung.

»Nein! Er hält nur an der Kontrollstelle, um seinen Berechtigungsausweis zu zeigen. Der Markt ist nachts nicht für alle geöffnet. Er ist für Händler und Gastwirte reserviert.«

Tatsächlich startete der kleine Lieferwagen wenige Sekunden später schon wieder. Er fuhr nun viel langsamer, da er immer mal abbiegen musste. Die Kinder waren in Habachtstellung. Um 1:38 Uhr parkte Raphaelas Vater ein. Seine Tochter, die schon ihre Hand auf dem Griff hatte, öffnete die Hecktür bereits, als der Motor noch seine letzten Töne ausspuckte. Die beiden blinden Passagiere ließen sich auf den Asphalt gleiten und schlossen den Kofferraum genau in dem Augenblick, als der Fahrer seine Tür öffnete. Dann liefen sie an einer Reihe Autos vorbei und duckten sich hinter einen Lieferwagen, der in der Nähe stand.

»Wieder geschafft!«, jubelte Raphaela. »Papa hat uns nicht bemerkt!«

Sie schaute zu den beleuchteten Schildern, die auf die verschiedenen Gebäude ringsherum wiesen.

»Wir sind in der *Rue d'Aubrac*. Komm, hier lang!«

Sie zog ihren Freund schnell weiter, ohne zu rennen, um die Kaufleute, die in den Hallen ein- und ausgingen, nicht auf sie aufmerksam zu machen.

Als sie die Haupthalle der *Rue de Concarneau* betraten, konnte Gabriel einen überraschten Aufschrei nicht unterdrücken.

Jetzt verstand er, was ihm seine Freundin während der Fahrt im Lieferwagen hatte begreiflich machen wollen. Rungis lag ja nun wirklich nicht am Meer, deshalb hatte er sich eine Abteilung mit frischem Fisch vorgestellt, drei Lachse, vier Thunfische und eine Handvoll Krabben ... Aber nun stand er auf der Schwelle einer Halle, die zweimal so groß war wie das französische Fußballstadion in Saint-Denis, vollgestopft mit Marktständen, auf denen sich eine Flut von Waren ergoss. Alles, was im Meer schwamm, fand sich dort wieder, vielleicht mit Ausnahme von Schwertwalen oder irgendwelchen Tiefseefischen. Man hätte meinen können, dass der gesamte Ozean hier auf diesem Festland gestrandet war.

Das war faszinierend, erleichterte aber die Arbeit der beiden Detektive nicht. In einem Meerespavillon nach einem gestohlenen Gemälde zu suchen, war so, als wolle man den Fußabdruck einer Qualle im Pazifik ausfindig machen.

Als Gabriel und Raphaela mit hängenden Armen da standen und das verrückte rege Treiben beobachteten, schreckte sie eine herzliche Stimme auf.

»Aber das ist doch Raphaela!«

Raphaela drehte sich um.

»Oh, hallo, Franck! Gabriel, darf ich dir Franck vorstellen? Er ist Aufseher in der Markthalle. Ich habe ihn kennengelernt, als ich das letzte Mal mit Papa hier war.«

»Du bist also eine Nachtschwärmerin, wie ich sehe«, sagte Franck lachend, »und du bringst sogar noch Freunde mit!«

»Ja … Gabriel ist ein Nachbar, wir kommen vielleicht in dieselbe Klasse«, plauderte Raphaela fröhlich weiter.

Gabriel drückte die entgegengestreckte Hand von Franck: Schultern wie ein Rugbyspieler, offenes Gesicht, makelloses weißes Hemd – der Aufseher wirkte eher vertrauenswürdig. Trotzdem war Gabriel empört, als Raphaela ihm mit unterdrückter Stimme erklärte, warum sie auf dem Großmarkt waren. Sie gab alles preis: den Bilderraub, den Hinweis auf ein Treffen in Concarneau und ihren Verdacht, dass es sich dabei um diese Fischhalle handeln könnte.

Mädchen können einfach nicht ihren Mund halten!, schimpfte Gabriel innerlich. Und wenn Franck ein Komplize war?

Detektive mussten sich an den Orten, an denen sie ermittelten vor jedermann hüten. Für Gabriel war das die Grundlage dieses Berufs.

Der Bilderdieb und die Leute, die sich mit ihm treffen wollten, hatten vielleicht die Aufseher bestochen oder zumindest ihr Stillschweigen erkauft. Ein freundliches Wesen konnte genauso gut eine Tarnung für Hinterhältigkeit sein.

Unglaublich, wie leichtfertig Raphaela war!

Als sie ihre Geschichte beendet hatte, verzog Franck den Mund, als hätte sie ihn in den April schicken wollen, obwohl es doch August war.

»Wisst ihr, ich kann nicht Tausende von Kisten durchwühlen, nur weil zwei Kinder meinen, dass dort ein gestohlenes Gemälde versteckt sein könnte …«

Gabriel wurde noch argwöhnischer. Wie konnte man ihren Spürsinn infrage stellen? Er wollte Raphaela gerade von diesem eventuell Verdächtigen wegzuziehen, als ein Mann mit großen Schritten durch die gläserne Eingangstür hastete. Er hatte es so eilig, dass er wenige Meter weiter über einen Eimer stolperte, der mitten auf dem Gang lag. Um das Gleichgewicht nicht zu verlieren, breitete er seine Arme aus und ließ dabei ein Buch fallen.

Gabriel erkannte sofort das XXL-Taschenbuchformat der *Erinnerungen von jenseits des Grabes*. Das musste Band zwei sein, denn die Illustration auf dem Buchdeckel war eine andere als die auf dem Exemplar aus der Kirche … Der Titel war aber tatsächlich derselbe! Gabriel hatte gerade genug Zeit gehabt, ihn zu lesen, da hatte der Mann sein Buch bereits wieder aufgehoben und seinen Weg fortgesetzt.

Höchstens drei Sekunden hatte der Zwischenfall gedauert. Da Raphaela und Franck der Szene den Rücken zuwandten, war nur Gabriel Zeuge des Vorfalls. Vor lauter Aufregung hüpfte er hoch in die Luft und lenkte damit die Aufmerksamkeit seiner Freundin auf sich.

»Was hast du?«, fragte Raphaela.

»Ich ... äh ... dieser Taschenkrebs hat mich gezwickt«, erwiderte Gabriel und steckte seinen Zeigefinger in den Mund.

»Oh ja, die sind sehr lebhaft«, amüsierte sich Franck. »Sie stammen aus einem Fang von heute«, fügte er hinzu, nachdem er das Etikett studiert hatte.

Doch Gabriel zog seine Freundin schon mit sich, um dem Typen zu folgen, der auf dem Weg ins Halleninnere war. An diesem überfüllten Ort, wo es fast so viele Menschen in den Gängen gab wie Fische auf den Ständen, durfte Gabriel ihn nicht aus den Augen verlieren.

Während sie hinterherliefen, berichtete Gabriel halblaut, was sich gerade vor seinen Augen abgespielt hatte.

»Echt wahr?«, flüsterte Raphaela und schaute zu dem Mann, den Gabriel auf dem Kieker hatte und zu dem er unauffällig mit dem Kinn wies.

»Ja, er hält das Buch immer noch in der Hand, und er hat noch keinen Komplizen getroffen. Apropos Komplize ... Du warst wirklich unvorsichtig, als du Franck alles verraten hast. Vertraust du diesem Kerl?«

Raphaela prustete los.

»Franck soll unehrlich sein? Glaubst du jetzt, du wärst in einem Film, Gabriel? Außerdem habe ich dir bereits gesagt: Es ist nicht realistisch, zu hoffen, dass wir dieses Bild finden, ohne wenigstens einen Erwachsenen einzuweihen.«

»Da bin ich anderer Meinung. Wichtig ist es, schlau zu sein, selbst wenn man nicht so viel Gewicht auf die Waage bringt. Die List siegt doch oft über die Kraft, oder?«

Der Verdächtige stürmte noch weiter durch die Halle und die Kinder folgten ihm schweigend. Vor einem Stand mit Krustentieren blieb er einen Moment lang stehen. Er schien nicht zu wissen, wohin.

Ein Händler, der kleine Werbegeschenke an die Passanten verteilte, nutzte seinen Stopp, um ihm etwas anzubieten. Der Mann lehnte das Geschenk mit einer ärgerlichen Geste ab, wie man eine lästige Mücke abwehrt, und nahm seinen Weg wieder auf. Als

Gabriel seinerseits an dem Händler vorbeiging, wagte er es nicht, ihm eine zweite Enttäuschung zu bereiten, und nahm das entgegengestreckte Objekt. Es war ein Schlüsselanhänger in Form einer Jakobsmuschel.

»Danke«, sagte Gabriel höflich und stopfte den Schlüsselanhänger in seine Hosentasche.

»Willst du auch einen, junge Dame?«, fragte der Verkäufer Raphaela.

»Wie bitte? Äh ... nein ... danke!«, erwiderte Raphaela, die sich nur auf den Verdächtigen konzentrierte.

Der wiederum verweilte nun vor einem Stand, der zwanzig Meter von ihnen entfernt war. Gabriel und Raphaela hoben wissend die Brauen. Der Händler hinter dem Tisch trug den gleichen Anorak wie der Unbekannte vom Vorabend. Aber es war eine andere Person.

Über dem Gang, in dem sie unterwegs waren, zeigte eine Uhr 1:59 Uhr an.

Kapitel 6
Die Explosion der Bouillabaisse

»Komm, wir verstecken uns!«, murmelte Gabriel und schob Raphaela hinter eine Palette.

Nachdem sie sich die Hand gegeben hatten, sprachen die beiden Männer jetzt leise miteinander. Bei all dem Lärm ringsherum, den Rufen der Händler, den Mikrofon-Durchsagen und dem Stimmengewirr, das zwischen den hohen Mauern der Lagerhalle widerhallte, hatten die beiden Kinder keine Chance, das minutenlange Getuschel der verdächtigen Typen zu verstehen. Gabriel und Raphaela mussten sich damit begnügen, die hinter dem Stand aufgestapelten Kisten zu betrachten, die fast bis zur vierzehn Meter hohen Decke reichten.

»Sieh mal«, entfuhr es Gabriel plötzlich, »der Händler am Stand ist Linkshänder.«

Tatsächlich rückte dieser während des Gesprächs mit der linken Hand die Hummer zurecht.

»Vielleicht hat er die geheime Botschaft im Buch verfasst«, wisperte Raphaela. »Mit seinen Händen, die nach Fisch riechen ... Diese Leuten sind sicher in die Geschichte verwickelt. Was machen wir jetzt?«

»Wir müssen eine Möglichkeit finden, uns ihnen zu nähern«, schlug Gabriel vor.

»Sie kennen uns nicht. Wir könnten sie doch ansprechen, als sollten wir für meine Eltern Fisch kaufen?«

»Ja. Aber wenn sie Geheimnisse austauschen wollen, dann machen sie das nicht vor uns«, gab Gabriel zu bedenken. »Oder meinst du, sie sprechen vor den Kunden über gestohlene Gemälde?«

»Du hast recht.«

In diesem Augenblick schob sich eine Gruppe von zehn oder zwölf Personen durch den Gang. In dem Gedränge wurde ein Mann gegen die Paletten gedrückt, hinter denen sich die Kinder versteckt hatten.

»Mensch, passen Sie doch auf!«, beschwerte er sich und stützte sich auf die Paletten, um nicht hinzufallen.

Zum großen Schrecken von Gabriel und Raphaela bewegte sich der schwere Stapel. Er stand nämlich auf einem Karren. Sie stemmten sich dagegen, um nicht überfahren zu werden. Der Mann entfernte sich schimpfend, doch Gabriel freute sich sichtlich.

»Hey, wir müssen nur den Karren näher an den Stand schieben!«

»Super Idee!«, gab Raphaela zu. »Aber meinst du nicht, dass man das merkwürdig finden würde? Ein Karren, der alleine den Gang entlangfährt?«

Während sie noch überlegten, drehten sich die beiden Männer am Stand um und kontrollierten die hinter ihnen aufgestapelten Kisten.

»Wir spielen *Ochs am Berg!*«, rief Gabriel.

Und schon gab er dem Karren einen heftigen Stoß, der ihn einen Meter voranbrachte. Raphaela stellte erleichtert fest, dass ihnen die beiden Männer immer noch den Rücken zudrehten.

»Hier können wir ihn nicht stehen lassen, das ist ja mitten auf dem Gang«, sagte sie.

Jetzt war sie dran und schubste den Wagen, dessen gut geölte Rollen sich leise vorwärts bewegten.

Mit klopfenden Herzen bewegten die Kinder den Karren immer weiter, bis er am Rand des Verkaufsstandes direkt neben den Männern zum Stehen kam. Blieb nur zu hoffen, dass die beiden die kleine Veränderung der Kulissen nicht bemerkt hatten. Aber in dieser Halle, in der es summte und brummte wie in einem Bienenkorb, war es wenig wahrscheinlich, dass ihr Karren auffiel …

Gabriel und Raphaela erstarrten quasi zu Stein, wagten kaum zu atmen und spitzten die Ohren.

»Und die Skalare?«, fragte der Mann, der immer noch Band zwei der *Erinnerungen von jenseits des Grabes* umklammerte. »Ist alles bereit?«

»Verpackt und fertig für die Verschiffung«, erwiderte sein linkshändiger Kollege. »Hast du die genaue Adresse des Auftraggebers?«

»Ja, alles klar, die hat man mir gegeben.«

Er hob das Buch in seiner Hand leicht in die Höhe und murmelte etwas, das die Kinder nicht verstanden. Sein Gesprächspartner reagierte mit einem kurzen Lachen und einem verschwörerischen Blick.

»Es muss eine interessante Nachricht in diesem Buch stehen«, überlegte Gabriel laut.

»Ich frage mich, was für Fische diese Skalare sein sollen«, sagte Raphaela nachdenklich. »Die habe ich nie auf der Speisekarte meiner Eltern gesehen. Aber es gibt ja so viele Fische auf der Erde ... im Wasser meine ich natürlich!«

Der Fischhändler fragte den Mann mit dem Buch: »Wohin werden die Fische eigentlich gebracht?«

»Sie werden nach Asien exportiert. Offenbar schwärmen die Leute dort für die exotische Küche. Sie sind bereit, einen guten Preis für solch seltene Fische zu bezahlen.«

Raphaela dachte mit gerunzelter Stirn nach. Dann sagte sie plötzlich: »Warte hier auf mich, ich bin gleich zurück.«

»Aber ...«

Doch Raphaela war schon weg. Verblüfft schaute Gabriel ihr nach: Sie lief den Gang hinunter, auf dem sie hergekommen waren, und stoppte bei einem weit entfernten Verkaufsstand. Gabriel sah, wie sie einen Moment mit dem Händler redete. Endlich machte sie sich auf den Rückweg, achtete aber darauf, immer nur weiterzulaufen, wenn die beiden Verdächtigen in eine andere Richtung schauten. Dann ließ sie sich wieder hinter den Wagen gleiten. Sie war sehr aufgewühlt.

»Was wolltest du denn von diesem Händler wissen?«, fragte Gabriel.

»Ob ich dreißig Skalare bestellen könnte. Er hat sich ganz schön über mich lustig gemacht. Er sagte, in dieser Halle würde man nur essbare Lebensmittel verkaufen, keine Zierfische ... denn Skalare sind Fische fürs Aquarium! Und er hat mir auch verraten, wie man sie üblicherweise nennt. Na? Interessiert dich das ebenfalls?«

»Aber ja«, erwiderte Gabriel, neugierig geworden wegen Raphaelas Aufregung.

»Sie heißen auch Engelfische!«, platzte Raphaela triumphierend heraus.

Gabriel hielt für ein paar Sekunden die Luft an. Die Skalare waren das Codewort für die drei Engel! Als er endlich weiteratmete, waren die Fischhändler verstummt. Ein Kunde betastete die Panzer der Meeresspinnen. Er wollte den Preis wissen, stellte ein paar Fragen, kaufte zehn dieser schrecklichen Kreaturen, die sich in ihrer Styroporkiste tummelten, und ging dann weiter. Der Linkshänder schaute mit einem gereizten Seufzer auf seine Armbanduhr.

»Was treibt er denn bloß? Die Zeitangabe war doch eindeutig.«

»Im schlimmsten Fall«, erwiderte der andere, »übergeben wir die Ware eben in seiner Abwesenheit an den Fahrer«.

»Das ist nicht möglich«, zischte der Erste nervös. »Er hat die gefälschten Zertifikate angefertigt und er muss sie mitbringen. Außerdem hat er wirklich darauf bestanden, dass man auf ihn wartet. Du weißt ja, wie ungemütlich er werden kann. Und da er die Skalare gefischt hat ...«

Gabriel flüsterte: »Sie sprechen von unserem Freund, den wir in der Kirche gesehen haben.«

»Offenbar«, bestätige Raphaela und schaute nach oben zur Uhr, die 2:06 Uhr anzeigte. »Er hat recht, der Typ ist nicht pünktlich.«

Je länger der Sekundenzeiger auf der großen Uhr seine Runden drehte, desto unruhiger wurden die beiden Kaufleute. Um sich gelassen zu zeigen, fingen sie an, ihre Ware auf dem Marktstand zu sortieren. Dabei wurde der Linkshänder auf den Transportwagen aufmerksam, hinter dem sich die Kinder versteckt hatten.

»Das gehört uns doch nicht, dieses Ding da! Es ist nicht zu fassen, die Leute schieben ihren Kram einfach zum Nachbarn rüber!«

Er ging auf die Transportkarre zu und versetzte ihr einen zornigen Tritt, sodass sich die Rollen sofort in Bewegung setzten. Gabriel und Raphaela sprangen zur Seite, um nicht umgefahren zu werden. Sie gerieten in Panik: Jetzt standen sie den beiden Männern gleich ohne Deckung gegenüber, so schien es jedenfalls! Doch da prallte der Rollwagen, der nach dem Stoß Geschwindigkeit aufgenommen hatte, gegen einen Mann, der den Gang hochlief und eine schwere Kiste schleppte. Dieser verlor das Gleichgewicht und ließ die Kiste fallen, die laut scheppernd auf den Boden krachte. Die darin transportierten zehn oder fünfzehn Einweckgläser zersprangen in tausend Stücke. Eine Flut aus Fischsuppe ergoss sich über die Fliesen.

»Meine Bouillabaisse!«, brüllte der Mann mit starkem provenzalischem Akzent. »Was ist das denn für eine Art, den Karren wegzuschieben, ohne sich umzuschauen? Ich dachte, das wäre ein Fischmarkt und kein Autoscooter!«

Die Leute im Umkreis waren stehengeblieben, die Gespräche verstummten. Alle Blicke waren auf die Pampe aus Suppe und Glasscherben gerichtet und auf den Mann, der sich die Lunge aus dem Hals schrie. Raphaela und Gabriel nutzen die Ablenkung und verdrückten sich langsam und ohne Hast vom Stand, damit die beiden Händler sie nicht entdeckten. Die waren völlig von dem Zwischenfall in Anspruch genommen.

Der Linkshänder, der für das Desaster verantwortlich war, hatte die Fäuste geballt.

»Ich verlange, dass Sie mir den Schaden ersetzen!«, zeterte der Suppenverkäufer.

»Was wollen Sie denn? Ich hab Sie nicht gesehen! Man muss sich doch bemerkbar machen, anstatt sich so anzuschleichen!«, ereiferte sich der Linkshänder.

Der Provenzale erstickte fast vor Wut. Der Komplize des Kaufmanns, der die Katastrophe verursacht hatte, packte seinen Kollegen am Arm, als wolle er ihm klarmachen, dass jetzt nicht der Moment für weiteren Ärger sei.

»Also gut, ja, Entschuldigung«, murrte dieser. »Natürlich bezahle ich Ihnen Ihre Bouillabaisse.«

»Außerdem hätten Sie fast noch zwei Kinder über den Haufen gefahren, die hinter der Karre standen!«, mischte sich eine Frau ein, die die Szene verfolgt hatte.

Gabriel und Raphaela spürten, wie ihnen ihr Herz bis zum Hals klopfte und dann aus schwindelnder Höhe in die Hose rutschte. Gabriel tauchte blitzschnell unter die Tischdecke des Marktstandes neben sich und zog Raphaela mit. Durch einen Spalt am Boden konnten die Kinder zwei blaue Stiefel erkennen, die sich mit raschen Schritten näherten.

»Wo denn? Wo wollen Sie diese Kinder gesehen haben?«, brummte der Fischhändler, während sich seine Stiefel dem Versteck bedenklich näherten.

»Ich weiß nicht«, erwiderte die Frau, die ebenfalls herangekommen war. »Sie müssen weggelaufen sein, aber ich habe sie sicher gesehen: einen Jungen und ein Mädchen.«

Die Stimme des Suppenverkäufers ging erneut dazwischen: »Und was ist jetzt mit mir? Erstatten Sie mir diesen Schaden?«

»Wir kommen ja schon …«

Gabriel und Raphaela schauten sich an.

»Was machen wir?«, flüsterte Raphaela.

Gabriel seufzte.

»Jetzt wäre es gut, zu deinem Freund Franck zu gehen. Zumindest sind wir nun sicher, dass sich das Gemälde hier befindet. Aber wir haben keine Chance, hier wegzukommen, ohne die Diebe auf uns aufmerksam zu machen …«

Raphaela kroch an das rückwärtige Ende des Standes, hob leicht die Tischdecke und schaute nach links und rechts.

»Wenn wir uns beeilen, können wir uns hinter diesen Böcken an der Wand verstecken und von dort, ohne dass es jemand bemerkt, wieder auf den Gang zurückgehen. Da sind wir dann weit genug entfernt ... und werden uns unter die Leute mischen. Wir sollten die Gelegenheit nutzen, solange sie noch mit der Suppe beschäftigt sind.«

»Dann nichts wie los!«, sagte Gabriel.

Die Freunde verließen ihren Unterschlupf und begaben sich geduckt zu einem Seitengang. Danach reihten sie sich ohne weitere Vorkommnisse in das Publikum des Hauptgangs ein. Der Markt lief auf Hochtouren, die Gänge waren überfüllt, das Echo Hunderter von Stimmen hallte durch den Raum. Durch den Heidenlärm ringsherum geschützt, erreichten die Kinder schnell den Eingang.

Es fehlten nur noch wenige Meter, als ein Knistern von der Hallendecke sie erschrocken zusammenzucken ließ. Ganz oben war ein Lautsprecher befestigt und offenbar war gerade ein Mikrofon eingeschaltet worden. Eine knurrige und ungeduldige Männerstimme schallte durch die Halle: »Eine Reinigungskraft wird am Ende des Hauptgangs erwartet. Es eilt! Danke!«

Die Kinder grinsten amüsiert und dachten an den Fischsuppen-See. Dann hielten sie neben den großen

Fenstern am Eingang Ausschau nach Franck. Aber er war nicht da, jemand anderes hatte seinen Platz eingenommen.

»Verflixt!«, zischte Gabriel.

Raphaela ging auf den neuen Aufseher zu.

»Wissen Sie, wo Franck ist?«, fragte sie.

»Oh, der ist irgendwo in der Nähe«, antwortete der Mann mit heiserer Stimme. »Er hat gerade Pause. Kann ich euch weiterhelfen?«

Die Kinder sahen sich an.

Gleichzeitig sprudelte es aus ihnen heraus: »Ist seine Pause bald zu Ende?«, und: »Könnten wir ihn trotzdem treffen?«

Der Wärter lächelte.

»Normalerweise trinkt er seinen Kaffee direkt hinter der Halle, um sich aufzuwärmen. Geht einfach hinaus, dann werdet ihr ihn schon finden ...«

»Dankeschön!« Raphaela zog Gabriel mit sich.

Sie gingen nach draußen und suchten die von den Neonlaternen des Marktes erhellte Straße ab. Franck blieb unsichtbar.

»Vielleicht steht er hinter diesen Autos«, vermutete Gabriel und zeigte auf eine lange Reihe von geparkten Autos.

Sie liefen darauf zu, um den Parkplatz überblicken zu können, aber sie sahen niemanden.

»Vielleicht dreht er auch gerade eine Runde, um sich etwas die Beine zu vertreten«, überlegte Raphaela laut.

Gabriel suchte die mit Bäumen gesäumte Straße gegenüber ab, offenbar eine ruhige Nebenstraße des Marktes. In einiger Entfernung ragte ein turmhohes schwarzes Gebäude in den Himmel. Der bleiche Schein einer Laterne erhellte nur schwach seine fensterlose Fassade.

»Ist er das nicht, dort neben dem Eisturm?« Aufgeregt streckte Raphaela ihren Zeigefinger in die Richtung des Gebäudes.

Gabriel kniff die Augen zusammen.

»Doch, tatsächlich, das könnte er sein, hinter der Straßenlampe ... Lass uns nachschauen!«

Sie rannten los, wollten keine Sekunde verlieren.

Im Trab fragte Gabriel neugierig: »Was ist das, der Eisturm?«

»Da werden täglich Tonnen von Eiswürfeln, große und kleine, aber auch Crushed Ice hergestellt, damit die Fischer ihre Ware frisch halten können. Ich habe den Turm mal besichtigt, es ist faszinierend!«

»Wirkt ein bisschen gruselig ...«

»Das sieht nur so aus, weil es die Rückseite des Gebäudes ist. Der Eingang liegt auf der anderen Seite. Deshalb ist hier auch niemand und ... oh!«

Raphaela stockte unvermittelt und blieb ohne Vorwarnung stehen.

Gabriel tat das Gleiche. Sie standen jetzt unter der Straßenlaterne und der Hall ihrer Schritte hatte den Mann, der sich dort aufhielt, veranlasst, sich umzudrehen. Er hatte telefoniert. Als er die Kinder entdeckte, steckte er hastig sein Telefon in die Tasche und musterte sie zunächst verblüfft, bevor er sie böse anstarrte.

Das war nicht Franck. Der Mann hatte seine Statur, aber er trug keinen Kittel. Er war mit einer petrolblauen Daunenjacke bekleidet und hatte eine Fleecemütze auf dem Kopf.

Gabriel und Raphaela erkannten sofort den Dieb vom Samstagabend.

Kapitel 7
Gefangen im Eisturm

»Wir haben uns schon mal gesehen, glaube ich?«, schnarrte der Dieb.

Seine Stimme hatte einen eher warmen Klang, sein Blick hingegen war eiskalt.

»Ach was?«, erwiderte Gabriel in arglosem Tonfall.

»Spielt nicht die Dummen. Ich weiß nämlich sehr genau, wer ihr seid, und vor allen Dingen, wann ich euch getroffen habe. Was habt ihr zu dieser Uhrzeit hier verloren?«

Gabriel und Raphaela überlegten fieberhaft.

»Wir sind mit meinem Vater auf den Großmarkt gefahren«, antwortete Raphaela forsch, damit der Dieb glauben sollte, dass sie nicht allein waren.

95

Gabriel schaute sich verstohlen um ... Das Gelände war menschenleer und der Parkplatz der Markthalle war viel zu weit entfernt. Dort würde man ihn selbst dann nicht hören, wenn er laut um Hilfe riefe.

Der Mann schien seine Gedanken zu lesen. Mit drohend erhobener Hand sagte er: »Ich rate euch, nicht zu schreien, das könnte euch teuer zu stehen kommen. Wenn ihr mir brav folgt, verspreche ich aber, dass euch nichts passieren wird.«

Dann warf er einen kurzen Blick zum Eisturm.

»Außerdem gehen wir nicht weit.«

Er zog einen kleinen Schlüssel aus seiner Hosentasche. Erst jetzt bemerkten die Kinder unten am Gebäude eine schmale Tür, die einzige an dieser Seite des Turms. Der Mann öffnete sie.

»Es lebe der Generalschlüssel!«, brummte der Dieb zufrieden in seinen Bart und stieß die beiden Kinder voran.

Gabriel und Raphaela wollten sich wehren: Ihre Beine versuchten, sich gegen den Druck zu stemmen, ihre Fäuste waren geballt, ihre Münder zum Schreien geöffnet. Doch der Dieb schubste sie so heftig, dass sie ins Haus katapultiert wurden, bevor sie auch nur einen Laut von sich geben konnten.

Er verschloss die Tür sofort hinter sich. Jetzt fingen Gabriel und Raphaela an zu brüllen: »Hilfe, Hilfe!«, was dem Mann nur ein hämisches Grinsen entlockte.

»Macht so viel Radau, wie ihr wollt, keiner wird euch hören! Dieser Raum wird nicht mehr benutzt. Auf der anderen Wandseite laufen die Maschinen auf vollen Touren. Außerdem ist die Betonmauer dick. Ihr würdet euch die Stimme ruinieren, bevor ihr wen auch immer alarmiert hättet.«

Gabriel und Raphaela hörten auf zu schreien. Der Fischhändler schaltete sein Handy an und beleuchtete die kahlen Wände eines winzigen Raums. Eine Metallleiter führte in die obere Etage. In der Mitte des Kabuffs kam eine Art großer Schlauch aus der Decke, der aussah wie eine geschlossene Rutsche. Raphaela verstand sofort, worum es sich da handelte. In der Zeit, als die Maschinen hier drinnen noch in Betrieb waren, diente das große Rohr dazu, das fertige Eis aus der ersten Etage herunter zu transportieren. Die Anlage schien aber inzwischen stillgelegt.

Gabriel ging zu der Leiter, um festzustellen, wohin sie führte. Das hätte er besser bleiben lassen sollen. Denn kaum hatte er sich abgewandt, öffnete und schloss sich hinter ihm die Tür.

»Raphaela!«, rief Gabriel.

Seine Freundin war nicht mehr da. Der Mann hatte sie mit nach draußen genommen.

Voller Zorn tastete sich Gabriel zum Eingang. Er zerrte an der Türklinke, rüttelte und hämmerte, brüllte nach Raphaela, aber vergebens. Er war alleine, er war eingeschlossen. Es war stockdunkel, und er wusste wirklich nicht, was er tun sollte.

Unterdessen zog der Bilderdieb Raphaela in eisernem Handgriff hinter sich her nach draußen.

»Lassen Sie mich los! Ich befehle es Ihnen!«

»Und ich befehle dir, dich nicht zu mucksen!«, raunzte der Dieb sie scharf an und schaute in alle Richtungen, um zu kontrollieren, ob Raphaelas Gebrüll jemanden alarmiert hatte.

Die Straße war immer noch wie ausgestorben.

»Wenn du schreist«, drohte der Mann, »könnte es für deinen Freund gefährlich werden. Ich bin nämlich nicht der einzige in dieser Geschichte. Meine Kumpel haben ...«

»Wohin schleppen Sie mich?«, unterbrach ihn Raphaela. Sie nahm all ihren Mut zusammen, um ihre Angst nicht zu zeigen.

»Ich trenne euch, das ist alles. Ich habe nicht vor, euch etwas anzutun, weder dir noch deinem Freund. Ich bringe euch nur in zwei verschiedene … äh … Warteräume …«

»Warteräume?«, wiederholte Raphaela verständnislos, während der Fischhändler es noch eiliger hatte.

»Ich habe ein Geschäft zu erledigen, ihr Gören! Es kommt nicht infrage, dass ihr meine Pläne durchkreuzt. Ich setze euch ein paar Stunden außer Gefecht, jeden in seiner Ecke. Aber mach dir keine Sorgen, ihr werdet vor der Schließung des Marktes gefunden, weil die Reinigungskräfte überall nachsehen.«

»Und Sie glauben, Sie kommen so einfach davon?«, schleuderte ihm Raphaela entgegen und wehrte sich wieder mit Händen und Füßen. »Denken Sie, wir verraten nichts?«

»Was ihr verratet, ist mir piepegal!«, brummte der Mann. »Es ist nämlich so: Wenn die Polizei dir Fragen stellt, bin ich längst über alle Berge!«

Raphaela, die ununterbrochen nach jemandem Ausschau hielt, bemerkte, dass der Dieb das riesige Gebäude der Fischhalle umkreiste und sorgfältig darauf achtete, nicht in die Lichtkegel der Laternen zu geraten. Er steuerte den Hintereingang der Halle an.

Ohne langsamer zu laufen, informierte sie der Bösewicht mit geheuchelter Höflichkeit: »Wir gehen durch die kleinere Tür hinein ... Du hast ja hoffentlich nicht erwartet, dass ich dich an den Aufsehern vorbeiführe?«

Wenige Sekunden später brachte er Raphaela in eine Schleusenkammer, in der die Temperaturen an die Null-Grad-Grenze heranreichten. Raphaela fröstelte in ihrer Sommerstrickjacke. Sie kannte diesen Ort: Das war der rückwärtige Zugang, durch den die Waren angeliefert wurden. Die Kältekette für die Lebensmittel durfte nicht unterbrochen werden und hier war es noch viel kühler als auf dem Rest des Marktes.

Der Eingangsbereich war menschenleer. Um diese Uhrzeit hatten alle Lastwagen ihre Fracht längst abgeladen. Der Mann führte Raphaela in einen langen Flur, an dessen Ende sie die belebte Halle sah. Fischgeruch waberte bis zu ihr, aber das Stimmengewirr an den Ständen wurde durch die Entfernung gedämpft ...

Raphaela hatte Angst, aber sie biss die Zähne zusammen und war fest entschlossen, sich nicht einschüchtern zu lassen. Wenn sie Gabriel befreien wollte, dann war das nicht der Moment, sich von Panik und Mutlosigkeit überwältigen zu lassen.

Kapitel 8
Eine sehr gefährliche Inspektorin

Der Mann blieb mit seiner Gefangenen vor der Tür stehen und tippte einen Code in eine kleine Tastatur. Die Tür öffnete sich.

»Reingehen!«, befahl er barsch.

Raphaela betrat eine eiskalte Kammer. Ein Becken, in dem Hummer schwammen, nahm drei Viertel des Raumes ein. Das Mädchen betrachtete ihre Scheren und ihre Fühler, die durch das Glas des Aquariums zehnfach vergrößert waren.

»Das ist ein Fischbehälter«, sagte der Mann. »Du wirst hier warten. Dieser Lagerraum gehört uns. Es besteht keine Gefahr, dass jemand hereinkommt. Ein bisschen Kühlung tut gut im Sommer«, fügte er noch spöttisch hinzu, als er sah, dass Raphaela mit den Zähnen klapperte. Sie fror tatsächlich und starrte auf den Anorak des Diebes, der ihr schon den Rücken zeigte, um hinauszugehen. Das brachte sie auf eine Idee.

»Warten Sie ...«, bat sie.

Der Mann war gerade dabei, die Tür zu öffnen. Er hielt inne, aber seine nervös klopfenden Finger auf dem Türgriff verrieten, dass er es eilig hatte, zu seinen Geschäften zurückzukehren.

»Könnten Sie mir wenigstens Ihren Anora ... oder äh ... nein, ich hab nichts gesagt.«

Der Fischhändler drehte sich langsam um. Sein Gehirn versuchte, die spontane Meinungsänderung des Mädchens zu deuten. Er versuchte, ihre Gedanken zu lesen.

Raphaela fuhr mit verlegener Stimme fort: »Nein, nein! Behalten Sie bitte Ihre Daunenjacke. Sonst ... äh ... erkälten Sie sich.«

Sie blinzelte heftig mit den Lidern, als hätte sie etwas ganz Dummes gesagt, was sie mit ihrem treuherzigen Augenaufschlag rückgängig machen wollte. Er stieß einen leisen Pfiff aus.

»Alles klar!«, kommentierte er voller Spott. »Dein Kumpel und du, ihr habt nach dem Verschwinden des

Gemäldes eine Personenbeschreibung von mir abgegeben ... die Polizei erkennt mich nur anhand meines blauen Anoraks, stimmt's? Nur damit finden sie mich?«

»Nein, auf keinen Fall«, widersprach Raphaela halbherzig und ihr Nein klang eher wie ein Ja.

Der Dieb ließ ein meckerndes Lachen hören und zog seine Daunenjacke aus.

»Hier nimm! In meiner großzügigen Art überlasse ich dir meinen Anorak! Ich würde mir ja Vorwürfe machen, wenn du dir eine Lungenentzündung holst.«

Raphaela rührte sich nicht von der Stelle und weigerte sich, den Anorak zu nehmen, den ihr der Dieb reichte. Der zuckte mit den Achseln und hängte das Kleidungsstück mit einem gehässigen Grinsen an einen Haken an der Wand. Dann öffnete er die Tür, um den Raum endgültig zu verlassen.

Während er einen vorsichtigen Blick in den Flur warf, um sicher zu sein, dass niemand vorbeikam, zog Raphaela an dem Baumwollschal, den sie um den Hals trug. Sie ließ ihn zu Boden fallen und schob ihn unauffällig zur halboffenen Tür. Dieser kleine Trick gelang völlig lautlos. Der Mann schloss die Tür, ohne bemerkt zu haben, dass ein Stück Stoff dazwischen hing.

Raphaela wartete mit klopfendem Herzen ein paar Sekunden, dann drückte sie gegen die Tür. Doch leider war der Schal zu dünn und es war ihr nicht geglückt, damit das Schloss zu blockieren ... Wie sehr sie sich auch mit aller Kraft dagegenstemmte, die Tür ging nicht auf. Sie saß in der Falle ... Sie bückte sich, um ihren Schal aufzuheben, denn die Kälte im Raum machte ihr zu schaffen und für nichts in der Welt hätte sie die Daunenjacke ihres Gegenspielers übergezogen. Unglücklicherweise blieb der Schal in der Tür eingeklemmt. Raphaela hatte mit ihrer nutzlosen Strategie nur sich selbst geschadet.

Doch sie verlor keine Zeit, sich zu bemitleiden. Sie durchsuchte den Anorak ihres Entführers. Gleich darauf tat sie einen Freudenschrei: »Yes!« Es hatte doch etwas gebracht, dem Dieb die Jacke abzunehmen. Da er so nervös gewesen war, hatte der Fischhändler vergessen, dass der Generalschlüssel, mit dem man den Eisturm aufschließen konnte, in seiner Jackentasche steckte. Vielleicht hatte er auch gedacht, dass der Schlüssel Raphaela nichts nützte, da sie selbst in einem per Code verriegelten Raum eingesperrt war.

Trotz ihrer misslichen Lage freute sich Raphaela über den kleinen Erfolg.

Sie stopfte den Schlüssel in ihre eigene Tasche. Igitt! Ihre Finger berührten das klebrige Taschentuch, mit dem sie Louises Nase geschnäuzt hatte ... Sie suchte nach einem Abfalleimer, um es wegzuwerfen, aber dann besann sie sich anders, schob zuerst den Schlüssel in ihre Tasche und das benutzte Taschentuch hinterher. Falls der Dieb wiederkommen und sie durchsuchen würde, könnte ihn das vielleicht abschrecken.

»Was mach ich bloß?«, fragte sie die Hummer, die sie durch das Vergrößerungsglas des Beckens anzuglotzen schienen, mit lauter Stimme.

Während sie diese Frage stellte, begann in dem kleinen Überwachungsbüro am Ende des Flures eine rote Kontrolllampe zu blinken. Ein leises »Piep« unterbrach das Gespräch zweier Wachleute auf ihren Drehstühlen.

»Jetzt reicht's aber!«, schimpfte einer von ihnen.

»Das ist in Raum 14«, erwiderte sein Kollege, als er auf das rote Lämpchen schaute. »Die Tür wurde nicht richtig geschlossen.«

»Es ist wirklich ärgerlich! Das passiert andauernd! Die Jungs könnten schon besser aufpassen ...«

Missmutig, aber ohne Eile stand er auf.

»Bleib sitzen!«, sagte der andere zuvorkommend, als er sah, wie lustlos sein Kollege war. »Ich erledige das. Und du machst mir unterdessen einen Kaffee?«

Mit schleppenden Schritten verließ er das Büro, denn es war 2:22 Uhr und außerdem ziemlich anstrengend, jede Nacht die Lagerräume der Fischhalle von Rungis zu überwachen.

Als Raphaela das Geräusch des elektronischen Türschlosses hörte, zuckte sie zusammen. Sie war höchstens eine Minute allein gewesen ... Kam ihr Entführer, um den Schlüssel zu holen? Oh je, sie hatte noch keine Zeit gehabt, sich etwas auszudenken ...

Die Tür ging auf und ein Unbekannter stand vor ihr. Doch an seiner Uniform erkannte sie: Das war ein Aufseher. Dieser war noch überraschter als sie.

»Was treibst du denn hier, Mädchen? Du wirst Probleme bekommen! Ich muss den Mieter des Lagerraums rufen und der wird es kaum schätzen, dass du hier hereinspaziert bist ...«

Raphaela schoss ein Gedankenblitz durch den Kopf. Sie richtete sich auf, um so entschlossen wie möglich zu wirken, und sagte in herrischem Ton: »Ich würde Ihnen raten, niemanden zu holen!«

»Aber sicher! Genau das werde ich tun!«

»Mein Vater ist der Direktor des Gesundheitsamtes«, fuhr Raphaela ungerührt fort. »Er hat mich hierher geschickt. Der Beweis dafür ist, dass mir der Code bekannt war, um den Raum zu betreten!«

Der Aufseher klappte seinen Mund auf und zu wie eine Forelle, die sich gerade ködern ließ.

»Und raten Sie mal, was ich hier am Boden gefunden habe!«

Raphaela langte in ihre Jackentasche und zog mit spitzen Fingern das gebrauchte Taschentuch heraus, um es angeekelt hin und her zu schwenken.

»Und es gibt NICHT EINMMAL einen Abfalleimer, um DAS wegzuwerfen!«, schimpfte sie. »Ich war gezwungen, es in meine Tasche zu stecken!«

Der Mann war sichtlich verwirrt. Er starrte sie mit den gleichen erstaunten Augen an, wie man seine Lehrerin anschaut, wenn man die Mathe-Hausaufgaben vergessen hat.

»Wissen Sie, was es bedeutet, wenn ich das meinem Vater erzähle?«

Der Mann nickte langsam. Oh ja, das wusste er: Das Gesundheitsamt verstand bei den Hygienevorschriften in Rungis keinen Spaß. Aus einem schmutzigen

Taschentuch neben einem Becken für Hummer könnte schnell ein Skandal werden. Es würde eine Untersuchung geben und alle würden ihren Job riskieren, ja, sogar die Aufseher. Der Mann zog die Nase hoch. Bei den hier herrschenden Temperaturen war er ständig erkältet. Er könnte niemals beweisen, dass nicht er das Taschentuch voller Keime hier weggeworfen hatte …

»Du … Sie … Du erstattest deinem … äh, Ihrem Vater Bericht?«

Raphaela seufzte entnervt.

»Hören Sie, ich weiß, dass jeder mal ein Taschentuch verlieren kann. Ich bin bereit, dieses Mal den Mund zu halten, wenn es nicht wieder vorkommt!«

»Gut … na klar«, stotterte der Aufseher.

»Und selbstverständlich lassen Sie mich hier heraus, ohne ein Wort darüber zu verlieren!«, sagte Raphaela streng und kniff den Mund zusammen.

Der Mann öffnete die Tür, Raphaela schaute nach rechts und links, unterdrückte ihre Bedenken, einen der Diebe im Flur anzutreffen, aber da war niemand.

»Willst du … wollen Sie … noch andere besichtigen?«, fragte der Aufseher.

»Andere was?«, erwiderte Raphaela, die in Gedanken schon in Richtung Eisturm unterwegs war.

»Andere Lagerräume ...«

»Ach so, nein danke. Ich habe schon vorher fünf Lager geprüft. Das genügt für diese Nacht.«

»Und ... waren sie sauber?«

»Ja, sehr sauber.«

»Erzählen Sie das auch ... Ihrem Vater?«

»Natürlich, also dann, auf Wiedersehen!«

Und Raphaela marschierte mit großen Schritten in Richtung Kälteschleuse, durch die sie mit dem Fischhändler hereingekommen war. Sie war mit sich zufrieden. Als ihr Vater mal erwähnte, wie sehr man in Rungis die Inspektoren des Gesundheitsamtes fürchtete, hatte sie sich das nicht vorstellen können.

Raphaela kam ganz außer Atem am Eisturm an. Sie drehte den Schlüssel um und die Tür sprang auf. Kaum hatte sie den dunklen Raum betreten, hörte sie ein beunruhigendes metallisches Klirren über sich. Eine Sekunde später wurde sie von etwas an der Stirn getroffen und gleich darauf noch einmal. Sie konnte einen Schmerzensschrei nicht unterdrücken. Was war das? Wo war Gabriel?

Die erschrockene Stimme ihres Freundes ertönte von oben: »Raphaela? Bis du das?«

»Ja«, rief sie und massierte sich die Stirn. »Was ist los? Alles in Ordnung?«

Gabriel stieg schnell die Leiter herunter.

»Es tut mir leid, wirklich! Ich habe dir das an den Kopf geworfen ...«

Er bückte sich und hob einen kleinen Metalleimer und eine kleine Kelle auf.

»Was ist denn in dich gefahren?«, knurrte Raphaela, auch wenn sie sich die Antwort vorstellen konnte.

»Na ja ... ich habe die Sachen gefunden als ich mich hier umgeschaut habe, und dann bin ich hochgeklettert, um sie auf den erstbesten Typen, der mich hier wegbringen will, zu werfen. Hätte ich geahnt, dass du das bist! Tut es weh?«, fragte er kleinlaut, als Raphaela sich weiterhin die Stirn rieb.

»Es geht«, beruhigte sie ihn mit einem schiefen Grinsen.

»Kann ich etwas für dich tun?«

»Nach nebenan gehen und mir etwas Eis holen? Das soll gegen Beulen helfen ... Nein, das war nur Spaß! Das Dringendste ist, das Gemälde wiederzufinden. Komm!«

»Wie hast du es geschafft, zu entkommen?« fragte Gabriel auf dem Weg zur Fischhalle.

»Ich erzähl's dir später. Das war mehr als ein Witz!«

»Wie auch immer, Respekt!«

Sie liefen weiter, plötzlich bog Raphaela ab. Ihr Freund wunderte sich und blieb stehen.

»Wohin läufst du denn? Der Halleneingang ist doch dort drüben!«

Raphaela stoppte ebenfalls und erklärte atemlos: »Ist doch nett von unserem Freund ... Er hat mir ... noch einen anderen Weg gezeigt, auf dem man unauffälliger in den Markt kommt. Aber du musst mir sagen, was du davon hältst ... Wir haben mehrere Möglichkeiten ... Franck suchen, den anderen Aufseher informieren ... oder ...«

»Oder?

Raphaela holte tief Luft und sagte: »... oder diese Abkürzung nehmen und von hinten hereinkommen. Das ist nicht weit entfernt von dem Ort, an dem sich die Diebe wahrscheinlich aufhalten. Da könnten wir sehen, wo sie sind, und den ganzen Markt alarmieren, wenn wir sie auf frischer Tat ertappen.«

Gabriel nickte zustimmend.

»Das ist ein guter Plan. Sie sind jetzt misstrauisch. Wenn wir uns auf die Suche nach Franck machen, bleibt ihnen vielleicht Zeit, das Gemälde verschwin-

den zu lassen. Sie haben sicher schon Vorsichtsmaß-
nahmen getroffen.«

Die beiden Kinder stürmten zur Kälteschleuse.

»Hast du das gesehen?«, rief Raphaela plötzlich und
bremste vor einem weißen Lieferwagen, der direkt vor
dem Eingang parkte.

»Na so was!«, entfuhr es Gabriel und er betrachtete
prüfend die Karosserie. Mit großen roten Buchstaben
war dort *Fischauktionshalle Kerhual* zu lesen. Aber
unter dem neuen Schriftzug erkannte man noch die
Spuren einer alten Beschriftung: *Köstlichkeiten aus
dem Meer.*

Dieses Mal merkten sich die beiden Kinder das
Nummernschild, bevor sie weiterrannten.

Kapitel 9
Ein schicksalhafter Moment

Als sie in Sichtweite der Kälteschleuse waren, verlangsamten Gabriel und Raphaela ihren Schritt.

»Die Aufseher sollten mich besser nicht mehr sehen«, flüsterte Raphaela, die ihrem Freund eine kurze Zusammenfassung ihres Abenteuers neben dem Hummerbecken gegeben hatte. »Wenn ich ihnen jetzt erzähle, dass ich mit meinem Bruder zurückgekommen bin, wäre das wohl ...«

»... kaum zu glauben«, vollendete Gabriel ihren Satz.

Leise schlüpften die beiden Kinder durch die Tür. Glücklicherweise befand sich das Büro der Sicherheitsleute ziemlich weit hinten im Flur, jenseits des Ganges, der zur Halle führte. Sie mussten also nicht daran vorbeigehen.

»Schnell!«, flüsterte Raphaela, nachdem sie geprüft hatte, ob der Weg frei war. Sie zog ihre Sandalen aus und lief barfuß, um weniger Lärm zu machen. Gabriels Gummisandalen klapperten nicht. Er schien außerdem geradezu über den Boden zu schweben, so eilig hatte er es, in die Halle zu gelangen.

Plötzlich ließ eine Stimme direkt neben ihnen die beiden Freunde zusammenzucken.

»Du trinkst zu viel Kaffee! Auf die Dauer wirst du das nicht vertragen!«

Raphaela drehte sich zu den weißen Türen um, hinter denen die Lagerräume lagen. Die Tür, an der sie gerade vorbeiliefen, stand offen und sie erkannte die Kittel der beiden Aufseher. Sie fasste Gabriel an der Hand und zog ihn weiter.

»Koffein ist schlecht!«, beharrte der Aufseher. Mehr von der Unterhaltung verstanden die beiden Kinder im Vorbeisprinten nicht.

»Das ist mir egal!«, erwiderte der Kollege. »Dieser Besuch des Gesundheitsamtes hat mir den Rest gegeben. Ich wische hier gerne später noch durch, aber wenn du mir keinen Kaffee machst, bin ich schon vorher gestorben.«

»Drei Stück Zucker wie üblich?«

»Heute Nacht vier!«

Der Kaffee-Zubereiter ging hinaus, kam gleich wieder mit verblüfftem Gesichtsausdruck zurück und rieb sich die Augen.

»Ich brauch auch was zum Aufputschen. Ich träume im Stehen. Gerade dachte ich, ich hätte zwei Kinder wie die Wiesel den Flur entlangsausen sehen.«

Der Aufseher mit dem Wischtuch reckte den Kopf durch die Tür und überprüfte den leeren Korridor.

»Lass mal gut sein!«, sagte er. »Wenn die Leute rennen wollen, dann sollen sie rennen. Mir ist das egal. Ich habe beschlossen, mich nicht mehr aufzuregen.«

Außer Atem lehnten sich Gabriel und Raphaela, die gerade die riesige Halle erreicht hatten, an einen Pfeiler. Raphaela streifte ihre Sandalen wieder über, Gabriel versuchte, sich in der Markthalle zu orientieren.

»Glück gehabt!«, murmelte er. »Wir sind nur zwanzig Meter vom Stand entfernt: Er ist genau da rechts!«

Raphaela schaute in die Richtung. Sie erkannte den Linkshänder, den Bilderdieb und ihren Komplizen, der immer noch Band zwei der *Erinnerungen von jenseits des Grabes* in der Hand hielt. Aber die drei Gauner waren nicht allein. Ein vierter Mann sprach mit ihnen. Er war wie ein Fischhändler gekleidet: Gummistiefel, Fleeceweste und lange Schürze. Sein Gesichtsausdruck war ernst, sogar etwas angespannt, aber nichts ließ darauf schließen, dass er mit dem kriminellen Handel in Verbindung stand. Er war vielleicht wirklich nur ein ganz normaler Händler, womöglich ein Kunde, der den Großhändlerpreis für schottischen Lachs verhandelte. Gabriel suchte vergeblich ein verräterisches Funkeln in seinen Augen, denn er verdächtigte auch diesen Mann, zur Bande zu gehören.

Da erklang plötzlich eine kleine Melodie aus dem Lautsprecher, gefolgt von einer Ansage: »Gabriel und Raphaela werden von ihrem Vater am Hauptausgang des Gebäudes erwartet!«

Entsetzt starrten die Kinder sich an.

»Woher weiß er, dass ...?«, stammelte Raphaela.

»Er muss Franck getroffen haben, als er in die Halle kam«, folgerte Gabriel.

»Ich wiederhole ...«, ertönte die Stimme erneut.

Das war ja genau der richtige Moment, eine Ansage per Mikrofon zu machen und damit die Aufmerksamkeit des gesamten Marktes auf zwei heimliche Ermittler zu lenken.

Die vier ausspionierten Fischhändler hatten die Köpfe gehoben, als sie den Aufruf hörten. Der Bilderdieb lächelte halb beunruhigt, halb spöttisch und sagte etwas zu seinen Kumpanen, die ebenfalls grinsten, sogar derjenige, der zuletzt dazugekommen war. Gabriel war sich nun ganz sicher: Dieser Mann war kein einfacher Kunde, der sich für seinen Fischladen eindeckte. Er war es, der das Gemälde abholen wollte!

Ein Händler, der einen Wagen beladen mit Kisten voller Fisch durch den Hallengang schob, entdeckte die Kinder, die sich hinter dem Pfeiler versteckt hatten, und schaute sie seltsam an.

Gabriel wartete nicht ab, bis er einen Zusammenhang zwischen ihnen und der Ansage herstellte. Wenige Meter neben dem Pfeiler erspähte er eine Ansammlung von riesigen Säcken, die wahrscheinlich Muscheln enthielten. Zwischen den Säcken und der Wand gab es eine kleine Lücke. Gabriel machte Raphaela darauf aufmerksam und hoffte, dass sie sich in diesem Spalt verstecken konnten. Sie mussten sich ducken, damit ihre Köpfe nicht darüber ragten.

»Geht es?«, fragte Gabriel.

»Ja! Eng wie in einer Sardinenbüchse, aber es geht ...«

»Sardinen hinter Muscheln versteckt, keine schlechte Tarnung!«

Raphaela unterdrückte ein Lachen. Sie bewunderte ihren Freund, weil er selbst in einer solchen Situation noch Humor hatte. Das machte ihr Mut. Denn jetzt mussten sie das Gemälde finden ...

Wenn die vier Verdächtigen sich in diesem Augenblick zu den Muschelsäcken in zehn Metern Entfernung umgedreht hätten, dann wären ihnen links über den Säcken ein schwarzer Haarschopf und rechts daneben blonde Haarsträhnen aufgefallen, darunter zwei Augenpaare: links grüne, rechts braune, die sie unverwandt anstarrten. Aber sie waren mit anderen Dingen beschäftigt ... Der Mann, der die *Erinnerungen von jenseits des Grabes* in der Hand hielt, übergab sein Buch gerade dem Komplizen, der zuletzt dazugekommen war. Dieser nickte und stopfte den Wälzer in seine Schürzentasche, eine Tasche, die groß genug war, einen so dicken Band darin zu verstauen.

Gabriel flüsterte seiner Freundin ins Ohr: »Wir MÜS-SEN an dieses Buch kommen, Raphaela. Auch wenn wir das Gemälde nicht aufspüren, ist es die letzte Mög-lichkeit, herauszufinden, wohin es gebracht wird. Ich bin sicher, es gibt darin einen Hinweis. Außerdem können wir damit allen beweisen, dass wir uns nicht irgendetwas einbilden.«

Raphaela nickte und heftete ihren Blick ratlos auf die ausgebeulte Schürzentasche. Es war trotz der vie-len Leute in der Halle unmöglich, hier Taschendieb zu spielen. Der Mann würde es sofort bemerken.

»Wir sollten doch nach dem Bild suchen ... es muss ja wohl in einer der Kisten hinter dem Stand sein.«

Gabriels Augen tauchten hinter den Muschelsäcken auf, um die Zahl der hoch aufeinandergestapelten Kis-ten abzuschätzen, die sich die gesamte Standlänge entlangzogen. Wie sollte man darin drei Erzengel aus dem vierzehnten Jahrhundert finden?

»Es gibt mindestens hundertfünfzig Kisten«, seufz-te Gabriel.

»Ja schon, aber schau mal«, machte ihn Raphaela aufmerksam, »die Kisten des Stapels auf der rechten Seite sind zu klein für das Gemälde. Meinst du nicht? Du kennst das Bild besser als ich.«

Gabriel versuchte, sich an die Maße des Bilderrahmens zu erinnern.

»Stimmt, die zwei Reihen rechts sind zu schmal. Bei der dritten Reihe bin ich mir nicht sicher.«

»Dann bleiben fünf verdächtige Kistentürme ... Das sind immer noch viele ...«

In diesem Augenblick begannen die Fischhändler, sich an den Kisten zu schaffen zu machen. Die Kinder beobachteten, wie sie etwa zwanzig Kisten mit der Aufschrift *Langusten, Drachenköpfe, Flusskrebse* auf einen Karren luden. Diese Schlepperei dauerte einige Minuten ... Das war aber leider nicht lange genug für Gabriel. Ihm kam einfach keine zündende Idee, wie man an das ersehnte Exemplar der *Erinnerungen von jenseits des Grabes* herankommen könnte.

Als der Mann mit der Schürze fertig war, zerrte er mühsam das Buch aus der Tasche. Gabriels Herz schlug einen wilden Galopp. Schnell! Er musste etwas tun! Jetzt oder nie!

»Gabriel und Raphaela werden dringend am Eingang der Halle erwartet!«, wiederholte die Lautsprecherstimme erneut langsam und getragen, als machte sie sich über all den Wirbel auf dem Markt lustig.

Gabriel schaute sich um, wartete immer noch auf eine Eingebung. Da sah er keine zwei Meter neben sich an der Wand den Schlauch eines Hochdruckreinigers mit dem der Boden nach dem Bouillabaisse-Unfall gesäubert worden war. Er sprang aus seinem Versteck, stürzte sich auf das Gerät, das ihm wie vom Himmel gesandt vorkam.

»Was hast du vor?«, rief Raphaela verblüfft. Doch er musste nicht mehr antworten, er hatte den Wasserhahn schon aufgedreht.

Kapitel 10
Wasserscheue Langusten

Die Kraft des Wasserstrahls ließ Gabriel kurz taumeln, dennoch gelang es ihm, mit seiner »Waffe« auf die Fischhändler zu zielen. Platsch! Wie eine Flutwelle traf die vier Männer der heftige Strahl. Gabriel rannte auf sie zu, Raphaela reagierte trotz ihrer Überraschung besonnen und drehte den Wasserhahn zu.

»Es tut mir leid«, entschuldigte sich Gabriel scheinheilig. Dieses Mal wollte er alle Aufmerksamkeit auf sich ziehen, um eine Menge Zeugen zu haben und die Gauner davon abzuhalten, ihm etwas anzutun.

»Ich wollte mir nur die Hände waschen«, stammelte er zerknirscht, »aber der Wasserdruck war etwas stark! Ach du Schande ... Ihr Buch ist ganz nass geworden.«

Gabriel nahm dem Fischhändler, der so benommen war, dass er sich nicht widersetzte, das Buch aus der Hand. Wie seine drei Komplizen schüttelte er sich nach dem Angriff mit dem Hochdruckreiniger. Er spuckte stoßweise Wasser aus und gab sich größte Mühe, die Augen wieder öffnen zu können.

Der Bilderdieb allerdings hatte Gabriel sofort erkannt und stürzte sich auf ihn. Gabriel sprang zur Seite, seine Hände hielten das Buch umklammert. Der Dieb versuchte, es ihm zu entreißen, Gabriel packte das Buch noch fester. Außer sich vor Wut hob der Mann die Faust, um damit auf den Jungen einzuschlagen. Aber Gabriel reagierte bemerkenswert: Er schützte seinen Kopf vor den Schlägen, indem er ihn mit voller Wucht in den Bauch des Fischhändlers rammte.

»Ah!«, keuchte der nur, weil ihm der überraschende Gegenangriff die Luft genommen hatte.

Gabriel war wie benommen nach diesem harten Aufprall ... und die folgenden Szenen spielten sich wie in Zeitlupe vor seinen Augen ab. Er sah, dass Raphaela den Mann mit der Schürze genau beobachtete. Der hustete und triefte immer noch, näherte sich aber dem Karren, den er gerade mit seinen Komplizen beladen hatte. Er tastete besorgt nach einer überschwemmten Kiste in der Mitte.

Mit klarer Stimme fragte Raphaela: »Sind Ihre Langusten wasserscheu, mein Herr?«

»Ja«, erwiderte er überrumpelt.

Ein Raunen ging durch die Menge, die den Vorfall beobachtet hatte. Wasserscheue Langusten, das hatte man in all den Jahren in Rungis noch nie gehört.

Gabriel hatte sich inzwischen von seinem Schock erholt und schrie: »Darin ist das Gemälde! Öffnen Sie die Kiste!«

Die vier Männer versuchten, sich vor den Karren zu stellen. Der Dieb, dem Gabriel gerade einen Stoß mit dem Kopf verpasst hatte, baute sich mit geballten Fäusten davor auf, bereit, den erstbesten Angreifer zu verprügeln. Aber der erste Angreifer war Franck, der sich im Laufschritt näherte, gefolgt von Raphaelas Vater!

Franck hatte neben seiner Statur eines Rugbyspielers auch noch ein besonderes Talent für Judo. Er ließ den Bilderräuber in der Wasserpfütze zu Boden gehen. Die drei anderen sahen sich verdutzt einer immer größer werdenden Schar von Schaulustigen gegenüber und ihnen wurde klar, dass jeglicher Widerstand zwecklos war. Sie schlotterten vor Kälte und rührten sich nicht mehr von der Stelle. Raphaelas Vater und ein paar weitere Zeugen packten sie an den Armen, damit sie nicht entkommen konnten.

Wenn Raphaela ihren Vater in diesem Augenblick angeschaut hätte, dann hätte sie sich wegen seiner vor Entsetzen und Aufregung angstvoll geweiteten Augen geschämt. Seit er von dem heimlichen Aufenthalt der Kinder in der Halle erfahren und seit der Kollege von Franck ihm mitgeteilt hatte, dass sie Richtung Parkplatz verschwunden und nicht wieder aufgetaucht waren, hatte der arme Mann die schlimmste Stunde seines Lebens durchlitten!

Aber Raphaela hatte in diesem Moment nur Augen für Franck. Unter Mithilfe eines anderen Aufsehers lud er vorsichtig die Kisten von der Karre.

Die verdächtige Box wurde geöffnet. Unter einer Schicht von Meeresfrüchten befand sich ein sorgfältig in mehrere Schichten Luftpolsterfolie eingewickeltes großes Paket. Franck begann, die Klebestreifen abzureißen, aber dann hielt er inne und wandte sich an Gabriel und Raphaela.

»Das dürft ihr auspacken. Mal sehen, ob ihr recht hattet.«

Die Kinder rissen die Klebebänder zusammen ab. Danach entfernten sie Schicht für Schicht die Polsterfolie und schon sah Gabriel unter dem durchsichtigen Plastik etwas Goldenes glänzen. Doch dann waren plötzlich dumpfe Schläge zu hören und kurz darauf das Geräusch von hektischen Laufschritten durch die Halle. Die drei Komplizen hatten die Männer, die sie festhielten, überwältigt und rannten nun, so schnell sie konnten, davon.

»Haltet sie auf!«, schrie Franck und drückte den vierten Mann, der den Kopf gehoben hatte, wieder auf den Boden.

Das Publikum zögerte kurz, dann stürzten einige Richtung Haupteingang, den drei Flüchtenden hinterher. Raphaelas Vater und die beiden anderen Männer, die die drei Diebe festgehalten hatten, krümmten sich vor Schmerzen zusammen. Gabriel und Raphaela schauten sich kurz an und schon waren sie auf dem Weg zu dem Korridor mit den Kühlräumen, um die Halle durch den Lieferanteneingang zu verlassen.

Mitten auf dem breiten Flur trafen sie erneut auf die zwei Aufseher. Die waren durch den ungewöhnlichen Lärm aus der Halle angelockt worden und kamen nun aus der Gegenrichtung, um zu kontrollieren, was passiert war. Gabriel wäre fast in vollem Tempo mit einem der Aufseher, der noch seinen Schrubber in der Hand hielt, zusammengerasselt.

»Entschuldigung!«, rief er atemlos. »Den muss ich mir gerade mal ausleihen!« Und er entriss dem Mann den Schrubber, der ihn auch sofort losließ.

»Danke! Bis gleich!« Gabriel rannte weiter.

Als sie an den Kühlräumen vorbeiliefen, sah Raphaela eine Kiste mit riesigen gefrorenen Fischen, die friedlich auf Zitronenscheiben ruhten. Sie schlug einen Haken, packte einen der Fische an der Schwanzflosse und spurtete hinter Gabriel her, der bereits durch den Hintereingang verschwunden war.

Die beiden Kinder hasteten zu dem Lieferwagen der Bande, der immer noch an seinem Platz stand. Die Ausreißer hatten den Umweg durch den Haupteingang machen müssen und waren noch nicht an ihrem Auto angekommen. Die Kinder sprangen hinter die Müllautos, die neben dem Lieferwagen geparkt waren.

»Dahinten kommen sie!«, flüsterte Gabriel.

Er kauerte sich auf den Boden und winkte Raphaela zu sich. Drei Schatten tauchten an der Ecke des Meerespavillons auf und jagten zum Auto. Die Kinder ließen die drei Männer nicht aus den Augen, sahen sie mal scharf, mal undeutlich, je nachdem, ob sie vom Laternenlicht beschienen waren oder nicht. Ganz weit hinten näherten sich die wild durcheinanderlaufenden Verfolger.

Gabriel legte den Schrubber quer über die Straße und quetschte den Stiel in das Hinterrad des Lieferwagens. Das andere Ende hielt er so fest er konnte.

Schon erreichte der erste Halunke das Auto: Er stolperte über den Schrubber und fiel der Länge nach hin. Raphaela versetzte ihm einen Schlag mit dem Tiefkühlfisch und schickte ihn ins Land der Träume.

Der zweite Dieb versuchte noch abzubremsen, aber er hatte zu viel Schwung und verfing sich ebenfalls in dem Besenstiel.

Raphaela wollte sich wieder ihrer kalten Keule bedienen ... da bemerkte sie, dass sie leider nur noch den Fischschwanz in der Hand hatte.

»Pah! Dieser Knüppel taugt nichts!«, schimpfte sie lachend. Sie war ganz ausgelassen vor Aufregung und vergaß jede Vorsicht.

»Mist!«, murmelte Gabriel, denn der dritte Mann hatte rechtzeitig stoppen können und war nicht in die Falle getappt. Gabriel sah, wie sein Schatten das Lieferauto umkreiste.

»Wo ist er?«, wisperte Raphaela.

Gabriel legte einen Finger auf den Mund und machte zwei Schritte vorwärts, um sich vor die Fahrertür zu stellen: Er ging davon aus, dass der Mann auf diese Tür zustürmen würde. Er packte seinen Schrubber und wartete.

»Achtung!«, schrie Raphaela.

Der zweite Mann war nach seinem Sturz wieder aufgestanden und schoss wie ein Panter in der Nacht auf Gabriel zu. Er klammerte sich gerade an den Besenstiel, um ihn Gabriel zu entreißen, als die Verfolgerschar den Lieferwagen erreichte. Mehrere Hände überwältigten die beiden ersten Banditen, andere kümmerten sich um den dritten, der in den Kofferraum gekrochen war.

Der Ton einer Sirene zerriss die laue Luft. Das kreisende Blaulicht eines Polizeibusses erhellte die Straße und wenige Minuten später wurden die drei Männer in dem Kastenwagen weggebracht, der noch einen kurzen Zwischenstopp vor dem Haupteingang der Fischhalle einlegte, um das vierte Bandenmitglied der Bande einzusammeln.

Franck wartete dort mit Raphaelas Vater auf die Kinder. Letzterer hatte den Schmerz von dem Schlag in den Magen schon fast vergessen. Die Sorge und die Aufregung drängten diese körperlichen Beschwerden in den Hintergrund. Er hielt den Kindern eine Gardinenpredigt, an die sie sich noch mit fünfzig oder sogar hundert Jahren erinnern würden. Gabriel und Raphaela senkten die Köpfe unter dem gewaltigen Gewitter. Diese Schimpftirade hatten sie verdient, und das wussten sie.

»Entschuldigung, Papa!«, meldete sich Raphaela kleinlaut als Erste.

»Entschuldigung, dass Sie Angst um uns haben mussten!«, schob Gabriel mit leiser Stimme hinterher und schaute Raphaelas Vater fest in die Augen.

Der Gastronom zog die beiden an sich, den einen rechts, die andere links, und er drückte sie mit geschlossenen Augen gegen seine schmerzenden Rippen. Er war unendlich erleichtert.

»Entschuldigung angenommen. Aber jagt mir nie wieder einen solchen Schrecken ein! Gabriel, was hätte ich denn deinen Eltern gesagt, wenn dir etwas zugestoßen wäre?«

»Es wäre nicht Ihre Schuld gewesen«, murmelte Gabriel zerknirscht.

»Erwachsene fühlen sich auch verantwortlich, wenn es nicht ihre Schuld war«, erwiderte Raphaelas Vater mit ernster Miene.

Franck hatte die Diskussion mit gekreuzten Armen verfolgt. Nachdem alle Entschuldigungen vorgebracht und angenommen worden waren, lächelte er.

»Ich muss sagen, die beiden hatten einen guten Riecher! Besser als ich auf jeden Fall, denn ich habe ihnen zunächst nicht geglaubt. Aber wollt ihr nicht endlich eure Arbeit erledigen?«

Er lachte laut, als er die ratlosen Gesichter der Kinder sah.

»Na das Überraschungspaket ... Es ist immer noch nicht ausgepackt! Wollt ihr das jetzt mal aufmachen?«

Die große Wanduhr zeigte 3:09 Uhr an, als Gabriel und Raphaela im Licht der Neonröhren das gestohlene Gemälde von seinen Folien befreit hatten. Gabriels Lächeln war ebenso triumphal und freudig wie das seines Namenspatrons.

»Ihr seid wirklich stark«, sagte er zu den Engeln.

»Wie habt ihr es geschafft, so gelassen zu bleiben bei dem Gestank um euch herum?«

»Wer ist der Engel, der den Fisch in der Hand hält?«, fragte Raphaela, die das Gemälde betrachtete.

»Raphael.«

»Das ist ja witzig. Dann muss er mir die Idee zugeflüstert haben, diesen gefrorenen Fisch aus dem Kühlraum mitzunehmen ... Ich weiß nämlich wirklich nicht, wie ich darauf gekommen bin!«

»Du hattest ein gutes Gespür, Raphaela! Ohne dich hätten wir das Gemälde nie gefunden!«

»Ohne dich aber auch nicht«, erwiderte Raphaela bescheiden. »Wir waren einfach ein gutes Team!«

»Und das sollten wir auch in Zukunft sein. Ich habe dir gleich gesagt, dass wir uns gut verstehen!«

»Natürlich werden wir auch weiterhin ein gutes Team sein! Wir sind ja sogar an derselben Schule.«

Sie verstummte und schaute den Polizisten zu, die das Gemälde wieder sorgfältig für den Rücktransport verpackten.

»Ich hoffe, wir erleben noch andere Abenteuer! ... Was für eine Nacht!«

»Äh ...tja ... ich weiß nicht, ob ich diesen Nervenkitzel so oft brauche«, widersprach Gabriel lachend.

Kapitel 11

Was man versprochen hat, muss man halten

Um elf Uhr morgens wachte Gabriel auf. Er war ausgeruht und in Form, blieb aber noch ein bisschen im Bett liegen. Die Sonne schien durch die Ritzen der Fensterläden. Er hatte noch zwei Tage Ferien. Das Leben war schön. Zufrieden ging er in Gedanken noch einmal alle Stationen des gerade erlebten Abenteuers durch. Er dachte an seine Rückkehr aus Rungis am frühen Morgen und diese letzte Szene ließ ihn vor sich hin schmunzeln, obwohl es in der Situation weniger komisch gewesen war.

Als Gabriel bei der Rückfahrt im Lieferwagen seine Eltern angerufen hatte, um ihnen alles zu erklären und sie zu bitten, ihm die Haustür aufzuschließen, hatte er sich von ihnen ebenfalls ein unvergessliches »Machtwort« anhören müssen. So hatte es jedenfalls sein Vater genannt. Eigentlich war es ein heftiger Anpfiff gewesen. Die nachträgliche Angst seiner Eltern hatte das Telefon vibrieren lassen! Aber als er zu Hause angekommen war, hatten sie ihn in den Arm genommen und beglückwünscht. Trotzdem hatten sie ihm dringend davon abgeraten, ihnen jemals wieder einen solchen Schrecken einzujagen. Raphaelas Vater hatte hinter ihm gestanden und mit dem Kopf genickt, als wollte er sagen: Ganz Ihrer Meinung! Dann hatten sich die Erwachsenen herzlich die Hände geschüttelt.

Gabriel bewegte seine Zehen, reckte und streckte sich und stand dann doch auf, da sein Magen knurrte. Mama hatte ihm einen lieben Gruß hinterlassen und einen schönen Tag gewünscht, bevor sie zu ihrer Arbeit in der Apotheke aufgebrochen war. Er freute sich: Seine Eltern waren offenbar nicht sauer auf ihn. Das war gut!
Nachdem er sein Frühstück mit dem Appetit eines ruhmreichen Helden verschlungen hatte, machte er sich auf den Weg zu Raphaela, um noch einmal mit ihr über das gemeinsame Erlebnis zu sprechen.

Kaum war er bei seiner Freundin durch das Gartentor getreten, als ihm ein kleiner Wirbelwind entgegenstürzte.

»Louise, jetzt hast du mir aber einen Schrecken einge... ich meine, wie schön, dass du da bist«, stotterte er überrumpelt. Ein Teufelskerl wie er konnte sich ja nicht vor einem fünfjährigen Mädchen fürchten.

»Meine Überraschung! Hast du sie mitgebracht?«, fragte Louise neugierig. Sie stand mit verschränkten Armen vor ihm.

»Welche Überra...?«

Ups! Jetzt fiel es ihm wieder ein: das um ein Uhr nachts gegebene Versprechen, bevor sie nach Rungis aufbrechen wollten.

Louise warf ihm einen vernichtenden Blick zu. Sie schaute ihn so finster an, dass im Vergleich dazu die Augen des Bilderdiebs fast freundlich gewesen waren.

Raphaela kam gerade aus dem Haus. Ihr war sofort klar, worum es hier ging, denn Louise sprach seit dem Aufwachen von nichts anderem als von ihrem Geschenk.

»Jetzt kommst du ins Schleudern!«, lachte sie. »Welche Ausrede fällt dir ein?«

»Ich ...«, stammelte Gabriel.

Er fasste unwillkürlich in seine Hosentasche, um sich gelassen zu geben und fand den Schlüsselanhänger in Form einer Jakobsmuschel. Gabriel bedankte sich im Stillen bei dem Händler, der die kleinen Werbegeschenke verteilt hatte.

»Ich habe keine Entschuldigung. Ich habe nur ein Geschenk!«, erwiderte er lässig.

Er reichte dem kleinen Mädchen den Schlüsselanhänger und Louises Augen strahlten.

»Oh ... der ist ja schön! Danke!«

Und sie fiel Gabriel um den Hals und küsste ihn auf beide Wangen.

Am Nachmittag gingen Gabriel und Raphaela zur Kirche. Noch nie war das Gemälde von so vielen Leuten betrachtet worden. Es ging fast zu wie im Louvre: Journalisten drängten sich und machten Fotos. Viele Neugierige waren gekommen, um das Meisterwerk zu besichtigen. Polizisten überwachten das Ereignis.

Im Altarraum herrschte ein ungewöhnlicher Trubel. Gabriel und Raphaela mussten ihre Ellbogen gebrauchen, um sich einen Weg zu den drei Erzengeln zu bahnen. Diese schauten mit himmlischer Ruhe auf die ganze Aufregung herab.

»Aber Herr Pfarrer«, protestierte gerade ein Gemeindemitglied, als die Kinder in der ersten Reihe ankamen, »Sie werden dieses Gemälde doch nicht wirklich ins Pfarrhaus hängen?«

»Das ist eine ausdrückliche Auflage des Herrn Kommissars«, erwiderte der Pfarrer. »Nur unter dieser Bedingung kann unsere Kirche Tag und Nacht geöffnet bleiben ... und das ist mir wichtig.«

Der Kommissar unterbrach ihn mit freundlicher Stimme.

»Und selbst wenn die Kirche tatsächlich durchgehend offenstünde, gäbe es darin nicht genügend frischen Wind ...«

»Was wollen Sie damit sagen?«, fragte das Gemeindemitglied erstaunt.

»Dieses Gemälde muss eine Zeit lang gut belüftet werden ... Riechen Sie mal daran, dann verstehen Sie, was ich meine!«

Gabriel und Raphaela prusteten los.

»Ah, da seid ihr ja!«, empfing sie der Kommissar. »Kommt näher, damit ich euch die Ohren langziehen kann ... Schämt ihr euch nicht, dass ihr mir nichts von eurer Spur erzählt habt?«

»Das war ...«, setzte Gabriel an.

»Das war nicht ...«, begann Raphaela gleichzeitig.

Der Kommissar lächelte.

»Schon gut, schon gut! Ich weiß ja, was passiert ist. Eure Eltern haben mir alles erzählt. Ihr habt beste Arbeit geleistet ... Meine Kollegen von der Polizei haben einen netten Bericht über euer Abenteuer verfasst. Bravo! Ihr wart fähige Spürhunde, wie man bei uns so schön sagt. Ende gut, alles gut. Aber lasst euch in Zukunft nicht mehr auf eine so gefährliche Sache ein. Das hätte böse enden können!«

»Ja, unsere Eltern haben uns das auch schon gesagt«, gestand Raphaela beschämt.

Der Kommissar gab ihnen die Hand, und die Kinder wurden vor Stolz ganz rot, als die Fotografen ihre Objektive von den Erzengeln abwandten und auf sie richteten.

Die Fotos machten in der ganzen Stadt die Runde und die Kinder waren auf Seite eins der Tageszeitung.

Als Gabriel zwei Tage später den Schulhof betrat, sah er eine Ansammlung von Schülern unter dem Kastanienbaum stehen. Er dachte, die Direktorin hätte bereits mit ihrer Begrüßungsrede begonnen, und blieb stehen, um auf Raphaela zu warten. Aber schon rief jemand: »Hier kommt er! Er ist da!«

Die Menge teilte sich, und die Schüler bildeten ein Ehrenspalier für ihn. Er wurde nach vorn geschoben und in der Mitte der Gruppe stand nicht die Direktorin, sondern Raphaela. Als er sich neben sie stellte, gab es tosenden Applaus.

»Bravo! Bravo!«, riefen die Schüler. Die Lehrer klatschten auch in die Hände und zwar nicht, damit die Schüler sich in Zweierreihen aufstellten, sondern um Gabriel und Raphaela zu gratulieren.

»Marie ist schon zum Gymnasium weitergegangen, aber sie lässt dir ausrichten, dass sie sich bedankt«, schrie Raphaela Gabriel ins Ohr, damit er sie trotz des Beifallgetöses hören konnte.

»Warum?«

»Sie hatte Angst, am ersten Schultag ganz alleine dazustehen ... von wegen! Sie wurde wie ein Star empfangen!«

Als sich die allgemeine Begeisterung gelegt hatte, ergriff die Direktorin das Wort, um alle Schüler willkommen zu heißen, ganz besonders die neuen.

Sie hatte Gabriel und Raphaela nach vorne geholt und während Raphaela die Direktorin anschaute, schweifte Gabriels Blick über die Schülerreihen. Es gab mehrere unbekannte Gesichter und ganz hinten fiel ihm ein Junge im Rollstuhl ins Auge. Es waren aber nicht seine bewegungslosen Beine, die Gabriel auffielen, sondern seine fröhlich funkelnden, hellwachen Augen, die seinen Blick erwiderten. Gabriel lächelte ihm zu und zwei lustige Grübchen erschienen auf den Wangen des Unbekannten.

Derweil fuhr die Direktorin mit ihrer Ansprache fort. »Ich glaube, es ist nicht nötig, euch Raphaela und Gabriel vorzustellen«, sagte sie vergnügt. »Raphaela, du wirst nicht in Gabrieles Klasse sein, sondern in der Parallelklasse.«

Jetzt war es ganz still auf dem Schulhof und die beiden Helden des Tages machten betretene Gesichter.

»Nun ja«, sprach die Direktorin weiter, »die Klassenlisten waren schon erstellt, bevor ihr euch als so erfolgreiches Team zusammengetan habt. Deshalb habe ich es vorgezogen, auf eure Aufgeschlossenheit zu vertrauen, denn es gibt noch weitere Neuzugänge.«

Sie warf einen Blick auf ihre Listen und korrigierte sich: »Entschuldigung! In eurer Jahrgangsstufe gibt es nur noch einen neuen Mitschüler, aber ich zähle auf alle, ihm den Einstieg zu erleichtern. Das ist Mikael.«

Sie zeigte auf den Jungen im Rollstuhl.

Gabriel schüttelte ungläubig den Kopf.

Raphaela fragte überrascht: »Was hast du?«

»Na ... Mikael ... Michael ... das ist derselbe Name!«

»Mikael hat von Geburt an gelähmte Beine«, erklärte die Lehrerin, als sie die neugierigen Blicke einiger Schüler wahrnahm, »aber ihr werdet sehen, er ist so ein pfiffiger Kerl, dass man sein Handicap schnell vergisst ... Ich bitte trotzdem alle, ihm zu helfen, wenn er Unterstützung braucht. Gabriel, er wird in deine Klasse kommen. Du achtest etwas auf ihn?«

»Ja, klar«, erwiderte Gabriel und nickte heftig.

»Wir werden uns auf jeden Fall gut mit dir verstehen, Mikael!«, versicherte Raphaela.

»Warum das?«, fragte der Neue und lächelte erwartungsvoll.